UNIVERSITÉS

SOCIOLOGIE

INTRODUCTION À LA SOCIOLOGIE

2e édition révisée et complétée

Gérard IGNASSE
Maître de conférences à l'Université de Reims
Vice-Président du Conseil National
des Universités en Science Politique

Marc-Antoine GÉNISSEL
Spécialiste des Nouvelles Technologies
de l'Information et de la Communication

ellipses

• Gérard Ignasse et Marc-Antoine Génissel ont également publié :

L'administration culturelle des collectivités territoriales
   (Éd. Espace Européen, 1991)
Les collectivités territoriales françaises et les cultures européennes
   (Ellipses, 1994)

• Gérard Ignasse a notamment publié :

Lexique des communes (Erasme, 1990)
Ouverture européenne (Ed. Espace Européen, 1991)
Institutions politiques et administratives (Ellipses, 1994)
Demain l'Algérie (Syros, 1995, avec Emmanuel Wallon)
Éthique et formation (L'Harmattan, 1998, avec Hugues Lenoir)

ISBN 2-7298-5942-X

© ellipses / édition marketing S.A., 1999
   32 rue Bargue, Paris (15e).

Interroger les sociétés, saisir les mouvements qui les traversent, envisager les évolutions qui les concernent, voilà l'objet de la sociologie. Il ne s'agit pas de jouer les devins mais d'utiliser des outils et des concepts pour comprendre les réalités contemporaines.

Située dans le parcours des sciences et plus particulièrement des sciences humaines et sociales, la sociologie jette un regard analytique sur les rapports sociaux, les groupes sociaux, la stratification sociale, les classes sociales et la mobilité sociale.

Elle veut aussi mieux situer les notions de culture et de civilisation, de famille et de socialisation. On cherche alors à comprendre les processus d'intégration, les normes, valeurs et modèles (et à l'opposé les déviances et l'anomie).

Avec l'étude des rôles, des statuts, des comportements, des attitudes, des opinions... la sociologie tend aussi à expliciter les phénomènes de pouvoir, d'influence, d'autorité et de hiérarchie. Elle décrit les formes du changement social à travers ses facteurs et ses agents.

Chapitre 1

SCIENCE, SCIENCE SOCIALE, SOCIOLOGIE

La sociologie se présente comme une science. La sociologie est une science sociale. Science, science sociale, sociologie : il convient tout d'abord de définir ces trois concepts (des mots représentant une idée), de comprendre comment ils sont nés, comment ils ont évolué. Ce regard épistémologique (l'épistémologie est la science des sciences) est un préalable nécessaire à l'étude du contenu de la sociologie : interroger les sociétés, saisir les mouvements qui les traversent, envisager les évolutions qui les concernent.

QU'EST-CE QUE LA SCIENCE ?

De par son étymologie (du latin *scientia* dont la racine est *scire* : savoir), le mot science évoque le savoir et le savant. Dès l'Antiquité grecque, on y voit, chez Platon, l'idée du plus haut degré de connaissance.

Cependant cette notion de science n'est pas séparée d'autres notions, religieuses notamment. Pour Aristote, la science concerne non seulement le « nécessaire » mais aussi l'« éternel ». Et, dans le Moyen Age chrétien, la science n'est pas d'abord celle des hommes. Seul Dieu a la science, c'est-à-dire la connaissance parfaite des choses. L'homme ne peut accéder à la connaissance que par Dieu.

C'est dans ce cadre que les universités ont été créées au début du XIIᵉ siècle à Bologne, Oxford et Paris notamment. Les universités sont alors des institutions d'Église. Les enseignants et les étudiants sont tous des clercs. Mais la dépendance à l'égard de l'Église est aussi indépendance vis-à-vis du pouvoir politique : d'où la liberté de parole et les « franchises » (libertés) universitaires dont il reste deux éléments encore aujourd'hui : les enseignants du supérieur sont les seuls fonctionnaires de l'État qui ne sont pas notés ; la police n'entre pas sur les campus universitaires sauf demande des autorités universitaires.

Il faut attendre le XVIIᵉ siècle cartésien (de Descartes fondant son analyse sur la raison) et le XVIIIᵉ siècle des Lumières pour voir remise en cause cette vision théologique (fondée sur Dieu) de la science. La science cherche alors à démontrer plutôt qu'à affirmer à partir de présupposés religieux. Elle devient une connaissance méthodique qui veut expliquer le réel sans passer par Dieu.

On oppose souvent les lettres et les sciences, les littéraires et les scientifiques. Jusqu'au XVIIᵉ siècle, on ne fait pas de différence entre les deux notions. Selon les auteurs, l'une ou l'autre comprend la totalité du savoir. Mais, à partir du XVIIIᵉ siècle, les lettres vont désigner une culture plus fondée sur le livre (plus littéraire au sens moderne) et moins expérimentale. Les scientifiques (comme Leibnitz) veulent que les sciences « dures » (mathématiques, physique), les sciences du réel (histoire, géographie), ne soient plus sous-estimées et systématiquement placées derrière la logique, la poésie, le latin… C'est sous le Second Empire que la coupure est effectuée entre baccalauréats ès lettres et ès sciences et que les facultés de lettres et de sciences sont séparées.

Origines de la science

La démarche scientifique commence dans l'histoire de l'humanité chaque fois que l'homme a cherché à comprendre le réel, à faire des expérimentations pour le transformer. Depuis que la terre a été peuplée d'hommes à partir de l'Est africain, l'observation, le raisonnement ont amené à un certain nombre de déductions. Les recherches et les trouvailles ont été diverses selon les peuples, mais elles ont circulé d'une région du monde à l'autre enrichissant les diverses cultures. Il est impossible ici de retracer une histoire mondiale de la science mais il faut se garder d'avoir une conception trop ethnocentrée (centrée uniquement sur notre civilisation) : les Chinois ont inventé l'imprimerie dix siècles avant Gutenberg !

Pour ce qui concerne notre civilisation, la pensée scientifique se développe d'abord dans l'Antiquité grecque. Mais les Grecs anciens se sont eux-mêmes inspirés des civilisations égyptienne et babylonienne pour ce qui concerne l'astronomie et les mathématiques par exemple. Pythagore recherche ses théorèmes en utilisant l'intelligence pure. Zénon mène une réflexion critique sur la connaissance scientifique. Hippocrate (patron des médecins) cherche à guérir sans passer par les pratiques magiques.

Avec Platon et Aristote (au quatrième siècle avant notre ère), on a deux approches très différentes, même si Aristote a été l'élève de Platon, lui-même élève de Socrate. Platon s'efforce de mathématiser toute chose tandis qu'Aristote veut partir de l'observation de la nature : cette opposition entre réflexions abstraite et empiriste marquera pour longtemps.

Après la Grèce, c'est à Alexandrie en Égypte que se situe le centre de la réflexion scientifique. Et c'est du monde arabe qui a hérité de la tradition grecque que va renaître la recherche scientifique. Les arabes inventent le chiffre 0 sans lequel les mathématiques modernes et l'informatique seraient inimaginables. L'écriture arabe des chiffres est devenue dominante aujourd'hui dans le monde. C'est par l'intermédiaire des philosophes de l'islam (Averroès et Avicenne) que l'Occident chrétien va redécouvrir la philosophie grecque au Moyen Age. L'œuvre d'Aristote est traduite en arabe puis en latin et Saint Thomas d'Aquin cherche à la christianiser au XIIIᵉ siècle. Ainsi, contrairement à l'opinion courante qui qualifie le Moyen Age de manière très péjorative, la science circule-t-elle sur les bords de la Méditerranée.

De la Renaissance aux Lumières

La Renaissance (XVIe siècle) n'en est pas une pour les sciences. Si elle a permis l'essor des Lettres et des Arts (cf. Léonard de Vinci), c'est une des époques les plus dépourvues d'esprit critique, et ceux qui s'attaquent aux préjugés ont fort à faire.

Le britannique Francis Bacon (1561-1626) cherche à désacraliser la nature. Pour lui, la chaleur du soleil est la même que celle des fourneaux et il n'y a pas lieu de craindre de porter atteinte à l'œuvre de Dieu : l'homme peut transformer la nature. Et pour cela, il faut unir la raison et l'expérience. Dans son livre *Organon* (l'outil), Bacon cherche une méthode d'invention dans les sciences, en réhabilitant la pratique, en faisant confiance à la raison.

L'italien Galilée (1564-1642) va plus loin que Bacon. Pour lui, ce qui semble évident n'est pas obligatoirement le réel. Il met en cause les affirmations de principe qui sont toujours présentées *a priori* comme vraies. C'est ainsi qu'il va s'attaquer à la conception chrétienne qui fait de la terre le centre du monde. Grâce à ses nombreuses études, il affirme que c'est le soleil qui est le centre de l'univers et que la terre tourne autour de lui. Il sera condamné par l'église catholique (et réhabilité seulement en 1992 par Jean-Paul II). Galilée s'entêtera à juste titre et dira à propos de la terre : « Et pourtant, elle tourne ». On saura ensuite que sa conception faisant du soleil le centre du monde est fausse, mais sa recherche aura permis de relativiser la place de la terre.

La condamnation de Galilée ne sera pas la seule de la part de l'église catholique. Madeleine Grawitz[1] rappelle que l'usage des lentilles fut interdit par l'église catholique pendant plus de trois siècles, car les lunettes constituaient « un instrument trompeur qui ne fait pas voir la vérité ».

René Descartes (1596-1650) publie en 1637 le Discours de la Méthode « pour bien conduire sa raison et chercher la vérité dans les sciences ». La méthode cartésienne veut ordonner la pensée, le raisonnement à partir de l'intuition et de la déduction. Pour cela Descartes emploie cinq règles : règle de l'évidence (n'accepter comme base de départ que ce que l'on distingue clairement) ; règle de l'analyse (diviser chaque difficulté pour la résoudre) ; règle de la synthèse (aller du simple au complexe) ; règle de l'hypothèse (supposer les choses ordonnées avant que l'expérience ne le montre) ; règle de l'énumération exhaustive (en fin de parcours, pour vérifier les résultats).

Blaise Pascal (1623-1662) insiste sur la valeur des expériences et propose des règles rigoureuses : pour qu'une hypothèse soit vérifiée il ne suffit pas que l'ensemble des phénomènes s'ensuivent. Si une seule chose est contraire à un seul des phénomènes, l'expérience n'est pas concluante.

---

[1] *in : Méthodes des Sciences sociales*, Dalloz.

Isaac Newton (1642-1727), né l'année de la mort de Galilée, se situe dans le prolongement de celui-ci. C'est lui qui établit le lien entre les mathématiques et la méthode expérimentale. Selon une anecdote, Newton aurait été mis sur la voie de la découverte de l'attraction universelle en voyant une pomme tomber à ses pieds. Il aurait alors imaginé de prolonger l'attraction terrestre jusqu'à la lune puis au soleil et aux planètes (gravitation céleste) et de la calculer.

Newton fait le lien entre le XVIIe et le XVIIIe siècle. En effet, le XVIIe siècle est encore marqué par l'insuffisance des moyens d'observation. Les instruments de mesure sont peu précis. L'usage des chiffres arabes n'est pas encore généralisé ce qui limite les possibilités de calcul. Mais en même temps apparaît une volonté d'observation scientifique qui va éloigner le physicien du philosophe et qui conduit à un rejet de l'autorité : les savants revendiquent leur indépendance et veulent créer leurs propres institutions.

Au XVIIIe siècle, les découvertes se multiplient : Fahrenheit (1686-1736) et le thermomètre, Franklin (1706-1790) et le paratonnerre, Pierre Leroy (1717-1785) et le chronomètre. Priestley découvre l'oxygène (1774). En astronomie Herchel découvre la planète Uranus (1781). Les frères Montgolfier réalisent la première ascension (1783).

Bernoulli (1654-1705) écrit le premier sur le calcul des probabilités, d'Alembert (1717-1783) sur la mécanique systématique, Euler (1707-1783) sur le mouvement des fluides. Buffon (1701-1788) rédige son histoire naturelle et crée la géologie moderne. La méthode expérimentale triomphe. L'évolution scientifique est complétée par une évolution dans l'histoire de la pensée (que symbolisent les philosophes des Lumières : Diderot, Rousseau, Montesquieu, Voltaire) qui se traduira sur le plan politique, notamment à travers la Révolution française.

Interrogations

Avec le XIXe siècle, viennent les interrogations. D'un côté, on trouve Auguste Comte (1798-1857) et le positivisme. Pour les positivistes, il s'agit de restreindre le rôle des hypothèses qui doivent porter exclusivement sur les lois des phénomènes observés et jamais sur leur mode de production. Tous les phénomènes observables vont être regardés comme assujettis à des lois naturelles invariables. Comte retient cinq sens à donner au mot positif : le réel par opposition au chimérique ; l'utile contre l'oiseux ; la certitude contre l'indécision ; le précis face au vague ; le positif comme contraire du négatif[1]. Le culte de la science vient remplacer la religion mais risque de déboucher vers de nouveaux dogmatismes à base scientifique ceux-là.

Face aux positivistes, et contre le dogmatisme des scientistes, le mathématicien Henri Poincaré (1854-1912) développe une analyse critique qui fait apparaître la part arbitraire que comporte toute définition scientifique ; il réhabilite donc l'hypothèse dans *La science et l'Hypothèse*, publié en 1902.

---

1   *in : Discours sur l'esprit positif*, 1854.

Le déterminisme part également d'une réflexion sur les causes. Comme pour une machine, on cherche à comprendre ce qui entraîne ceci ou cela, quelle est la cause de tel phénomène. On applique le déterminisme à l'ensemble de l'univers et notamment aux êtres vivants : c'est Claude Bernard (1813-1878) qui fait entrer la méthode expérimentale en biologie et montre notamment que les lois qui régissent le fonctionnement normal ou pathologique de l'organisme sont identiques.

Au dix-neuvième siècle, la loi semble non plus voulue par Dieu mais comme une propriété de la nature. La vérité n'est plus un donné préexistant mais doit être vérifiée. Déjà apparaît le questionnement sur la relativité.

Les interrogations se poursuivent au XXe siècle avec la théorie de la relativité généralisée d'Einstein (1919). La théorie de la relativité remet en cause les certitudes sur l'espace et le temps. Elle montre, par exemple, que la notion de simultanéité n'est pas susceptible d'expérience sensible. J. Ullmo décrit ainsi l'expérience du train d'Einstein : on désigne par A et B les deux extrémités d'un train et par A' et B' deux points situés sur la voie de chemin de fer et séparés par une distance égale à la longueur du train ; quand le train va passer sur la voie, à un moment donné A et B coïncideront avec A' et B'. Si l'on émet à ce moment précis des signaux lumineux en A' et B' sur la voie en vue d'atteindre le milieu de la distance séparant A' et B' soit O, il est impossible que ces signaux se rencontrent en M le milieu du train car M et O qui coïncident au moment du départ des signaux se seront écartés pendant le trajet du train et ne coïncideront plus à l'arrivée des signaux. Autrement dit, deux événements simultanés pour la voie de chemin de fer ne le sont pas du point de vue du train. On est à la limite de l'espace et du temps.

La mécanique quantique part d'une découverte de Max Planck en 1900 : au niveau microphysique, les échanges d'énergie ne sont pas, selon ses observations, continus mais discontinus, par quanta. Ce qui avait donné l'apparence de la continuité c'est la masse des électrons, comme dans un mouvement de foule. En fait l'atome fonctionne comme une succession discontinue de transitions et le mouvement des électrons ne correspond pas à une trajectoire. On est au-delà des notions d'espace et de temps. L'observation de l'infiniment petit montre qu'on ne peut pas observer sans modifier ce qu'on observe : ainsi pour situer un électron, on l'éclaire mais cela change sa place. Aucun phénomène ne peut plus être considéré comme objectif, comme indépendant des conditions dans lesquelles il a été observé.

Plus globalement, on s'aperçoit de la liaison entre la recherche scientifique et les interrogations philosophiques et sociales. C'est la fin de l'omniscience. On constate combien chaque époque a eu ses certitudes remises en cause par l'époque suivante. Ce mouvement s'est accéléré au XXe siècle et chaque savant a dû remettre en cause plusieurs fois ses certitudes au cours de sa carrière.

Dans leur livre, *La Nouvelle alliance, métamorphose de la science*[1], les historiens des sciences Ilia Prigogine et Isabelle Stengers montrent « l'interaction forte entre les questions produites par la culture et l'évolution conceptuelle de la science au sein de cette culture ». « Il existe certes un devenir abstrait des

---

[1] Gallimard, 2e édition, 1986.

théories scientifiques [...]. Mais les innovations décisives dans l'évolution de la science ne sont pas de cet ordre. Elles résultent de l'incorporation réussie dans le corpus scientifique de telle ou telle dimension de la réalité [...] Ces innovations répondent à l'influence du contexte culturel, et même "idéologique" ; ou pour mieux dire, elles expriment l'ouverture effective de la science au milieu où elle se développe » (Introduction).

La liaison entre l'étude de l'évolution des sciences en général et celle des sciences sociales paraît donc nécessaire.

SCIENCES SOCIALES

L'idée de séparer les différents domaines de la science ne va pas de soi. L'appellation de telle ou telle science ou son rattachement à tel groupe font encore aujourd'hui l'objet de fréquents désaccords. Pour comprendre cette situation, il faut se rappeler que dans l'Antiquité, les mêmes personnes traitaient à la fois de philosophie, de mathématiques ou de physique. Certes l'objet à analyser n'était pas exactement le même, mais on passait aisément d'un domaine à l'autre et l'on considérait que les méthodes d'analyse pouvaient être assez semblables. On peut remarquer que c'est l'analyse des phénomènes naturels (tonnerre, crues,...) qui a donné naissance aux sciences dites naturelles, et que c'est l'analyse des crises qui a généré les sciences que l'on appellera ensuite sociales. Plus précisément c'est la réflexion sur la politique qui inaugure l'ère des sciences sociales.

Évolutions

La Politique d'Aristote étudie la réalité sociale et préconise des formes de gouvernement en fonction de la densité démographique par exemple. Chez lui, chez Platon ou chez d'autres auteurs, on retrouve la volonté d'imaginer un modèle idéal de la cité. Bien entendu, ces conceptions sont difficilement détachables du contexte religieux, philosophique, politicien, du moment.

Cette conception sera particulièrement systématisée avec Thomas More (1478-1535) et son *Utopie*, publiée à Louvain en 1516. A la société monarchique anglaise de son époque, il oppose celle de la nouvelle île d'Utopie, une république communiste fondée sur le travail et la famille.

Avec son presque contemporain Machiavel (1469-1527), on part de la société italienne, non pour définir une société idéale mais pour donner les moyens de réussir en politique. Dans *Le Prince*, publié en 1513, Machiavel imagine la situation d'un homme qui a obtenu le pouvoir dans sa principauté, et ce qu'il doit faire pour le garder. Machiavel pense que le pouvoir du Prince doit reposer à la fois sur la crainte et le fait d'être aimé, que les princes ne sont pas obligés de tenir parole : « jamais un prince n'a manqué d'excuses légitimes pour colorer son manque de parole [...] Mais il faut savoir bien colorer cette nature, être grand simulateur et dissimulateur [...] Celui qui trompe trouvera toujours quelqu'un

qui se laissera tromper » (chapitre XVIII). L'attitude de Machiavel peut apparaître particulièrement cynique et malhonnête. Elle présente toutefois l'intérêt de
rompre avec des discours détachés de la réalité et formés de vœux pieux, et
d'introduire à une véritable science du politique.

Baruch Spinoza (1632-1677), comme beaucoup au XVIIe siècle, cherche une
explication mécaniste des phénomènes sociaux. Pour lui, on peut traiter des
rapports humains comme de la physique. Point n'est besoin de définir un régime
idéal : « Je suis pleinement persuadé que l'expérience a montré tous les genres
de Cité qui peuvent se concevoir et où les hommes vivent en paix […] De sorte,
que je ne crois pas qu'il soit possible de déterminer par la pensée un régime qui
n'ait pas encore été éprouvé » (*Traité de politique,* chapitre 1). Spinoza
développe donc une démarche pragmatique qui demande du réalisme aux politiques, au contraire des conceptions utopiques des philosophes, des exhortations
des moralistes et des théologiens. C'est cette démarche qui amène Spinoza à
critiquer le despotisme car sa précarité est due au fait qu'il apparaît insupportable
aux sujets.

Au XVIIe siècle, encore, s'affirme l'idée que les événements sociaux peuvent
être quantifiés. Tout commence par le dénombrement démographique. Les
premières tables de mortalité apparaissent en Angleterre. Naît alors une arith-
métique politique qui utilise les statistiques.

Charles de Montesquieu (1689-1755) veut analyser *L'Esprit des lois* (1748). Ce
philosophe des Lumières cherche à découvrir les « rapports nécessaires qui
dérivent de la nature des choses ». Ce n'est pas dans la religion qu'on trouve la
réponse à ces questions mais dans l'analyse des réalités humaines : « plusieurs
choses gouvernent les hommes : le climat, la religion, les lois, les maximes du
gouvernement, les exemples des choses passées, les mœurs d'où il se forme un
esprit général qui en résulte ». Certes sa théorie des climats a pu le conduire à
des interprétations abusives sur la vie des peuples « froids » ou « chauds », mais
l'essentiel de son apport consiste dans le fait qu'il cherche à « décrire ce qui est,
non ce qui doit être ». C'est, en même temps qu'un politologue et un anthropologue, l'ancêtre de la sociologie.

Au XVIIIe siècle également, l'économie politique se développe et François
Quesnay (1694-1774) ébauche, dans son *Tableau économique* (1758) l'idée de
lois économiques naturelles. Fondée sur le droit naturel et le contrat, sa doctrine
physiocratique ouvre la voie au libéralisme économique. Son travail sera
complété par celui d'Adam Smith (1723-1790) qui, dans ses *Recherches sur la
nature et les causes de la richesse des nations* (1776), utilise la méthode compa-
rative.

C'est sans doute la découverte par Darwin (1809-1882) de la dimension génétique de l'évolution des êtres qui va sonner le glas de toute conception d'une
nature humaine immuable. En proclamant que « l'homme descend du singe » le
darwinisme se présente comme un « transformisme » très éloigné des théories
religieuses.

Définitions

Le parcours évolutif des sciences sociales ne conduit pas à une définition simple de celles-ci. Le terme même de sciences sociales n'est pas admis par tous. S'il existe en France une École des Hautes Études en Sciences Sociales, certains préfèrent le concept de sciences humaines et au Centre National de la Recherche Scientifique (CNRS) on parle de sciences de l'homme et de la société. Pour le CNRS, les sciences de l'homme et de la société sont comme les sciences du vivant et les sciences de la terre des grands domaines de la science (voir en annexe la liste des sections du comité national de la recherche scientifique).

Les sciences de la terre (par exemple géologie, chimie de la terre) et éventuellement les sciences du vivant (par exemple biologie végétale ou cellulaire) sont souvent considérées comme des sciences « dures », tandis que les sciences de l'homme et de la société seraient des sciences « molles ». Outre le caractère péjoratif de l'appellation « molles », cette classification tend à considérer qu'il y a des sciences plus exactes les unes que les autres et à dénier aux sciences sociales leur statut scientifique.

En fait, il n'existe pas de liste objective et reconnue par tous des différents domaines scientifiques. Des disciplines apparaissent ou se regroupent. La chimie est rattachée aux sciences de la terre quand elle s'intéresse aux matériaux, aux sciences du vivant s'il s'agit de chimie organique. En France, les sections du CNRS ne sont pas les mêmes que les sections du Conseil National des Universités (CNU, voir en annexe). Le rattachement de telle ou telle discipline à tel ou tel groupe est lié à l'histoire des institutions universitaires et scientifiques : les sections du CNU ou du CNRS ne comportent pas les disciplines médicales ou agronomiques qui sont prises en compte en France par des institutions particulières : l'Institut National de la Santé et de la Recherche Médicale (INSERM) et l'Institut National de la Recherche Agronomique (INRA). En France encore, la science politique apparaît dans les disciplines du groupe 1 du CNU avec les disciplines juridiques. La science politique est en effet née en France dans les facultés de droit. Dans les pays anglo-saxons, la science politique est dérivée de la sociologie qui concerne les groupes de disciplines de lettres et sciences humaines. Il va de soi que la sociologie politique concerne aussi bien la sociologie que la science politique !

On considérera que les termes sciences humaines, sciences sociales, sciences de l'homme et de la société recouvrent des acceptions voisines sinon semblables et on utilisera l'une ou l'autre sans distinction. Ceci n'empêche pas d'essayer de faire des distinctions dans les différents domaines des sciences sociales.

Si l'on prend en compte la liste des sections du Conseil National des Universités (voir en annexe) on peut faire entrer sous la nomenclature sciences sociales les disciplines des groupes I, II, III, IV et XII alors que les autres groupes concernent les sciences de la terre ou du vivant. Cependant les mathématiques et l'informatique dépassent ces domaines et l'astronomie et l'astrophysique dépassent notre planète.

Le groupe I correspond aux disciplines juridiques et politiques, le groupe II aux sciences économiques et de gestion et il n'est pas sûr que ces disciplines se reconnaissent comme faisant partie des sciences humaines.

Le groupe III correspond aux lettres (au sens des facultés du même nom) aux sciences du langage et aux littératures de tous lieux et de toutes époques : ici, il n'est pas sûr que les spécialistes de littérature se considèrent comme des « scientifiques ».

Le groupe IV est sans doute celui qui correspond le mieux à l'appellation de sciences humaines : psychologie, philosophie, arts, sociologie, démographie, anthropologie, ethnologie, préhistoire, histoire et civilisations depuis l'antiquité jusqu'à aujourd'hui, géographie, aménagement et urbanisme. Le groupe XII (le dernier dans la liste) est constitué de sciences plus récentes : éducation, information et communication, épistémologie, cultures régionales, activités physiques et sportives.

Avant d'aborder la sociologie, il convient de la situer par rapport à ses voisins. L'histoire cherche à reconstituer le déroulement de la vie sociale au cours du temps. La géographie fonde son analyse sur la localisation des phénomènes physiques, biologiques ou humains à la surface du globe. La démographie étudie statistiquement les collectivités humaines. L'ethnologie étudie les usages de tous genres, des groupes d'hommes vivant en société. L'anthropologie comme son nom l'indique (*anthropos* en grec signifie homme) peut être considérée comme la matrice des sciences humaines ; en un sens plus particulier, elle concerne le sens que les hommes en collectivité donnent à leur existence (selon la définition de Marc Augé, dans *Le Sens des autres, actualité de l'anthropologie*[1]). La psychologie s'intéresse au comportement des individus. En conséquence, la sociologie va avoir pour objet d'analyser les faits sociaux.

SOCIOLOGIE

C'est **Auguste Comte** (1798-1857) qui a créé le terme « sociologie » (après l'avoir appelée physique sociale). Il a hérité de son maître Claude-Henri de Saint-Simon (1760-1825) la volonté de créer une science autonome des faits sociaux. Pour la première fois, dans son *Cours de philosophie positive* et dans son *Discours sur l'esprit positif* apparaît la volonté de réaliser une observation rigoureuse des faits sociaux : il ne s'agit plus d'admirer, de critiquer ou de justifier, mais uniquement d'établir par l'observation les relations mutuelles qu'entretiennent tels ou tels faits. Il transpose les méthodes de la physique à l'analyse de la société.

Comte complète son observation par l'expérimentation. Évidemment, il n'est pas possible de faire des expériences en laboratoire ou de manipuler les sociétés pour voir si ceci produit cela. Mais l'histoire permet d'observer des perturbations, des cas pathologiques qui « constituent pour l'organisme social,

---

[1] Fayard, 1994.

l'analogue exact des maladies proprement dites pour l'organisme individuel »[1]. On peut comparer les divers états des sociétés humaines et le passé permet de prévoir l'avenir si l'on a une exacte connaissance des « lois qui président au développement social de l'espèce humaine »[2].

Comte affirme la spécificité des faits sociaux (par rapport aux réactions psychologiques par exemple). La sociologie a son domaine propre qui lui permet d'appréhender l'ensemble du réel considéré comme totalité : la sociologie est une étude globale et totale. Pour Comte c'est la science du présent (par rapport à l'histoire) qui a l'action pour objet.

Karl Marx (1818-1883) et **Friedrich Engels** (1820-1895) poussent beaucoup plus loin que Comte l'idée d'une sociologie de l'action. Le marxisme, comme le positivisme, naît de l'analyse des contradictions de la société industrielle. Marx donne une théorie à ces contradictions sociales. Cette méthode, inspirée de la dialectique de Hegel, consiste précisément à considérer que l'ensemble de la vie sociale est faite de contradictions.

Parmi ces contradictions, celles qui existent entre les classes sociales sont essentielles. Dans chaque société, une classe est dominante : dans l'antiquité, c'étaient les propriétaires d'esclaves ; sous le féodalisme, les possesseurs de la terre ; avec le capitalisme, ce sont les possesseurs des moyens de production (cf. Engels, *Les Origines de la famille, de la propriété privée et de l'État*). « L'histoire de toute société jusqu'à nos jours n'a été que l'histoire des luttes des classes. Homme libre et esclave, patricien et plébéien, baron et serf, maître et compagnon, en un mot oppresseurs et opprimés en opposition constante, ont mené une guerre ininterrompue, tantôt ouverte, tantôt dissimulée, une guerre qui finissait toujours, soit par une transformation révolutionnaire de la société toute entière, soit par la destruction de deux classes en lutte ». (Marx, *Manifeste du parti communiste*, 1848). Marx pense que la lutte entre la bourgeoisie capitaliste et le prolétariat marque la phase finale de la lutte des classes et qu'elle débouchera, par un processus révolutionnaire, sur le communisme.

Pour Marx, dans chaque phase de l'histoire, à un mode d'organisation économique (infrastructure) correspond un mode d'organisation étatique et idéologique (superstructure) : « le mode de production de la vie matérielle domine en général le développement de la vie sociale, politique et intellectuelle. Ce n'est pas la conscience des hommes qui détermine leur existence, c'est au contraire leur existence sociale qui détermine leur conscience » (Marx, *Critique de l'économie politique*, 1859). Cette profession de foi matérialiste fait que l'on désigne généralement le marxisme sous le vocable de matérialisme dialectique.

Vilfredo Pareto (1848-1923) publie en 1916 son *Traité de sociologie générale*. Il élargit la notion de lutte des classes de Marx en considérant que la lutte des classes n'est que la forme transitoire d'oppositions qui sont celles de la lutte pour la vie. Pour lui, « l'histoire est un cimetière d'aristocraties ». Chez Pareto, l'important dans chaque société c'est le problème de la circulation des élites.

D'autre part, Pareto ne se préoccupe pas de la recherche de lois immuables en sociologie. Il se contente d'hypothèses probables et considère que la sociologie

---

[1] Cours, IV, p. 345.
[2] Cours, IV, p. 259.

doit analyser les formes d'action humaines non logiques : les formes d'action logiques (construction, économie,…) concernent les ingénieurs, les autres (sentiments, croyances, instincts,…) concernent les sociologues.

Émile Durkheim (1858-1917) est le premier sociologue à élaborer une méthode scientifique de la sociologie : *Les Règles de la méthode sociologique* (1895). Pour lui, la société n'est pas la simple somme des individus qui la composent : « la mentalité des groupes n'est pas celle des particuliers, elle a ses lois propres ». C'est la base même de l'analyse sociologique par rapport à la psychologie. « Les faits sociaux consistent en des manières d'agir, de penser et de sentir extérieures à l'individu et qui sont douées d'un pouvoir de coercition en vertu duquel ils s'imposent à lui » : le fait social fonctionne donc à la contrainte. Non seulement les faits sociaux sont distincts des faits psychologiques, mais la cause des faits sociaux doit être recherchée dans d'autres faits sociaux et non dans la psychologie des individus : « la cause déterminante d'un fait social doit être cherchée parmi les faits sociaux antécédents et non parmi les états de la conscience individuelle ». Dès lors, il faut « considérer les faits sociaux comme des choses » et non comme des idées abstraites, c'est la base de l'analyse scientifique. Durkheim ne donne plus (au contraire de Marx) un but social à la sociologie, mais veut la créer comme une véritable science autonome. Durkheim est le premier sociologue empiriste.

Durkheim applique sa méthode dans une enquête sur *Le Suicide* (1897). Durkheim ne cherche pas à interviewer les personnes concernées (d'autant plus qu'on n'aurait les réponses que de ceux qui ont « raté » leur suicide !) mais utilise des documents statistiques. Il étudie tour à tour plusieurs variables : sexe, âge, situation géographique et sociale, religion, pour en mesurer l'importance. Constatant des taux de suicide divers selon les groupes sociaux, il conclut que ce qui peut paraître comme l'exemple même de la décision individuelle est aussi un fait social qui dépend de facteurs sociaux. Il complète son analyse de ces variables multiples en recherchant, ce qu'on appellera la variable intervenante (celle qui n'apparaît pas dans les statistiques mais qu'on soupçonne) : ainsi l'indice de cohésion sociale que Durkheim mesure à partir du taux de divorce. Son analyse débouche sur la notion d'anomie (laquelle sera développée plus loin) : cela correspond à une absence d'intégration sociale par suite d'un dérèglement des besoins qui deviennent impossibles à satisfaire dans une société donnée.

Marcel Mauss (1872-1950) est le neveu et le disciple de Durkheim. C'est le créateur de l'ethnologie en France et c'est aussi celui qui va essayer de rapprocher psychologie et sociologie. Dans son *Essai sur le don, forme archaïque de l'échange* (1932-1934) il énonce, avec la notion de fait social total, un système d'interprétation cherchant à rendre compte des aspects physique, physiologique, psychique et sociologique de toutes les conduites.

Le don peut apparaître dans chaque civilisation comme un acte mineur. En fait, à travers un cadeau peuvent être mis en œuvre tous les rouages de la société. Bien sûr, la fonction économique est dépassée, ce qui est en jeu ce sont des formes de politesse, de festins, de rites, de fêtes,... A qui faire des cadeaux, quand, quels cadeaux ? ces questions permettent de décrire les bases religieuses, familiales, économiques voire magiques d'une société. Ce que Mauss avait découvert à propos du *potlach* des tribus nord-américaines ouvre en fait un champ énorme d'investigation.

Max Weber (1864-1920) est souvent présenté comme l'initiateur de la sociologie compréhensive par opposition aux idéalistes et aux matérialistes. « Nous appelons sociologie [...] une science qui se propose de comprendre par interprétation l'activité sociale et par là d'expliquer causalement son déroulement et ses effets [...] La compréhension peut signifier d'une part la compréhension actuelle du sens visée dans un acte [...] Elle peut également signifier d'autre part une compréhension explicative. Nous comprenons parce que nous saisissons la motivation »(*Économie et Société,* tome 1, chap. 1, §1).

La sociologie de Max Weber fonctionne à l'aide de « types idéaux » qu'elle élabore. Weber est conscient que la sociologie a besoin pour dégager des règles générales de formuler des typologies ; l'idéal type est une construction du sociologue qui n'a pas besoin de correspondre à une réalité particulière. Au contraire, c'est à travers l'idéal type que l'on comprend la cohérence d'une unité sociale.

Dans *L'Éthique protestante et l'esprit du capitalisme* (1905), Max Weber veut comprendre le type d'esprit qui a conduit à la formation du capitalisme : désir d'accumuler indéfiniment, vocation quasi religieuse à gagner de l'argent. Il voit dans l'ascétisme puritain de certains calvinistes l'éthique de la besogne, et la base d'une conception qui refuse de gaspiller son temps, qui freine la consommation et la jouissance spontanée. Paradoxalement, ce qui aurait pu conduire au refus de l'argent et des biens matériels va mener, à travers un travail acharné, à l'accumulation, et la richesse comme fruit du travail va devenir une bénédiction. Ainsi naît l'esprit du capitalisme dans lequel la valorisation du travail sans relâche (très opposée à la conception aristocratique) joue un rôle essentiel.

Au tournant du XXe siècle, **l'école de Chicago** retient du darwinisme, l'idée de milieu et une certaine causalité spatialement limitée. Apparaît la notion — essentielle pour analyser la société américaine — de communauté, conçue non comme un groupe développant une culture commune mais comme un équilibre précaire entre l'homme et son milieu. Dès cette époque, l'école de Chicago constate les effets de crise qu'implique le grossissement de la population des villes américaines et la constitution de groupes ethniques marginaux. De là aussi naît le concept d'environnement comme point d'équilibre entre l'habitat et les habitants. C'est notamment à partir de ces réflexions, qui montrent combien l'activité de l'homme peut compromettre l'équilibre de la nature que se développera plus tard la réflexion sur l'environnement et l'écologie.

La sociologie américaine a également produit le courant fonctionnaliste qu'illustrent **Robert K. Merton** (né en 1910) et **Talcott Parsons** (1902-1979). Merton, dans *Social theory and social structure* (1949) distingue les fonctions qui contribuent à l'adaptation et à l'ajustement d'un système, les dysfonctions qui gênent cette adaptation, et certains éléments non fonctionnels. Parmi les fonctions, il considère qu'il faut non seulement étudier les fonctions manifestes qui sont comprises et voulues par les participants du système, mais aussi les fonctions latentes qui ne sont ni comprises ni voulues.

Les fonctionnalistes ne veulent pas se borner à déterminer si une pratique instituée dans un but donné atteint pratiquement ce but. Ils veulent aussi savoir si cette pratique ne correspond pas à d'autres fonctions inexprimées dans une société donnée : ainsi tel programme de propagande politique a non seulement pour but d'attiser la ferveur patriotique (fonction manifeste) mais aussi de faire exprimer leurs idées à nombre de gens opposés à la politique officielle (fonction latente). Ou encore l'achat de choses chères ne correspond pas seulement à la volonté de se procurer des produits de meilleure qualité (fonction manifeste) mais à celle d'élever et de confirmer une situation sociale (fonction latente).

Parsons, distingue les fonctions primaires fondamentales qu'on retrouverait dans toute société : la fonction d'adaptation du système à son environnement physique et social ; la fonction de réalisation des buts collectif ; la fonction d'intégration interne du système qui coordonne ses unités ; la fonction de maintien des modèles de contrôle pour assurer la stabilité des modèles culturels.

Michel Crozier (né en 1922) est le créateur du Centre de sociologie des organisations. Il développe une sociologie des systèmes d'action concrets, comme par exemple le *Phénomène bureaucratique* (1963). Ceci a permis l'élaboration d'un modèle d'observation et d'interprétation centré sur les membres de l'organisation, leurs relations entre eux et le système, les stratégies qu'ils mettent en œuvre dans des rapports de pouvoir. Dans ce cadre, chacun joue « son jeu » en exploitant et en marchandant sa marge de liberté et de satisfactions : « Le jeu est l'instrument que les hommes ont élaboré pour régler leur coopération. C'est l'instrument essentiel de l'action organisée. Le jeu concilie la liberté et la contrainte. Le joueur reste libre, mais doit, s'il veut gagner, adopter une stratégie rationnelle en fonction de la nature du jeu et respecter les règles de celui-ci » (*in* : *L'Acteur et le Système*, 1997, avec E. Friedberg, p. 97).

Pour Crozier, les systèmes d'action concrets dans lesquels évoluent les acteurs sociaux ne sont pas des systèmes abstraits construits mais des phénomènes vérifiables empiriquement. Le sociologue joue un rôle dans le processus de changement, par l'information qu'il apporte dans ses études, par les diagnostics qu'il formule, par les réformes qu'il peut suggérer.

Raymond Boudon (né en 1934) représente le courant de l'individualisme méthodologique en sociologie. Pour lui « l'atome logique de l'analyse sociologique est donc l'acteur individuel. Bien entendu, cet acteur n'agit pas dans un vide institutionnel et social. Mais le fait que son action se déroule dans un contexte de contraintes, c'est-à-dire d'éléments qu'il doit accepter comme des données qui s'imposent à lui ne signifie pas qu'on puisse faire de son comportement la conséquence exclusive de ces contraintes » (*La Logique du social*, chap. 1). Boudon refuse donc le déterminisme et souhaite une sociologie du singulier qui ne cherche pas à énoncer des lois universelles. Il préfère expliquer les phénomènes sociaux à partir des comportements individuels en présentant des modèles montrant la manière dont les actions des individus se sont agrégées (c'est-à-dire rassemblées, regroupées). Un exemple classique est celui des paniques financières (comme dans la crise des années 30) : une rumeur sur une possible insolvabilité des banques conduit chaque client à retirer son argent avant que la banque ne fasse faillite. L'agrégation de ces actions individuelles provoque effectivement l'insolvabilité de la banque.

Face à ce courant assez individualiste de la sociologie s'est développé une orientation sociologique critique marquée notamment par l'école de Francfort en Allemagne et Bourdieu en France.

Le nom d'**école de Francfort** a été donné à un groupe d'intellectuels juifs pour la plupart, intervenant à Francfort notamment dans l'Institut de recherche sociale (créé en 1923) et qui quittèrent l'Allemagne à l'arrivée du nazisme pour s'installer aux États-Unis : Adorno, Benjamin, Marcuse sont les plus connus. L'élément essentiel de leur conception des choses est l'idée d'une recherche pluridisciplinaire qui allie philosophie et sociologie notamment. Ceci leur permettra de critiquer les prétentions scientifiques des théories racistes du nazisme, de refuser aussi bien le dogmatisme d'une partie du marxisme que le technocratisme capitaliste.

Herbert Marcuse (1898-1979), qui publie, dans les années 1960, *L'Homme unidimensionnel*, apparaîtra comme un des inspirateurs de Mai 1968. Refusant les cloisonnements tant de la vie quotidienne que des disciplines scientifiques et une réduction de la réalité, Marcuse prône au contraire une libération tous azimuts, selon une réflexion qu'il avait amorcé dans *Éros et Civilisation* (1955). Caractérisée par la recherche de l'efficacité et du confort, la société d'abondance qui suit la Deuxième Guerre mondiale est pour Marcuse une société close qui réduit l'individu, empêche l'expression révolutionnaire et brime celle des éléments explosifs et antisociaux de l'inconscient. Marcuse souhaite l'avènement d'une société nouvelle non répressive.

Pierre Bourdieu (né en 1930), professeur au Collège de France, propose depuis les années 1960 une approche de l'espace social qui refuse les limites des analyses aussi bien objectives que subjectives. Il cherche donc des concepts intermédiaires et médiateurs entre le subjectif et l'objectif, tel celui d'habitus. Il s'agit de catégories de perception et d'appréciation, de principes de classement et d'action. Ainsi, dans le champ culturel, l'habitus va classer les objets esthétiques, mais aussi les hommes, entre amateurs et non-amateurs d'art, entre « ignorants » et « initiés ». Chacun, en classant, se classe.

Ces habitus individuels qui existent dans chaque champ social (artistique, scientifique, religieux, politique, scolaire) se conjuguent avec des habitus de classes sociales. Les classes sociales se distinguent en fonction de trois types de capital de départ : le capital économique (hérité ou acquis), le capital culturel (capital scolaire, biens culturels) et le capital social (« les relations »).

Chaque capital est aussi un capital symbolique qui signifie une position particulière de prestige : ainsi un membre de l'Académie Française peut avoir un capital économique faible, mais l'importance de son capital culturel lui apporte des honneurs particuliers (cf. *La Distinction*, 1979). Le champ scolaire, lieu de *La Reproduction* (1970) des classes sociales, est un champ de violence symbolique en tant que l'action pédagogique impose un arbitraire culturel et veut faire accepter « l'ordre des choses ».

Dans ce cadre, la sociologie doit retourner contre elle-même les armes qu'elle produit : « Le sociologue peut produire une science rigoureuse du monde social qui, loin de condamner les agents à la cage de fer d'un déterminisme rigide, leur offre les moyens d'une prise de conscience potentiellement libératrice » (*Réponses,* 1991, p. 185).

Bibliographie :

• Filloux Jean-Claude et Maisonneuve Jean, *Anthologie des Sciences de l'homme*, Dunod, 1993.
• Grawitz Madeleine, *Méthodes des sciences sociales*, Dalloz, 1993.

Chapitre 2

RAPPORTS SOCIAUX

D'une manière très concrète, chacun peut observer que la vie sociale des êtres humains, est marquée par une infinité de relations entre des individus. La vie en société est faite de rencontres, d'échanges, de conflits, de compétitions, de relations amoureuses, de rapports d'autorité, de relations de travail, d'entraide, etc.

Ces relations entre individus peuvent être analysées, selon au moins deux points de vue différents. Elles peuvent être considérées sous l'angle de la psychologie — toute relation entre individus peut être perçue comme un rapport psychologique — mais elles peuvent également être examinées en termes sociologiques. Dans ce cas, on parlera de *rapports sociaux*.

Dans la réalité quotidienne, ce découpage entre rapports psychologiques et rapports sociaux n'existe pas. Il n'y a pas d'un côté des rapports psychologiques, et de l'autre des rapports sociaux. Rien n'interdit de penser au contraire, que tout type de relation qui s'instaure, à un moment donné, entre des individus — même entre deux individus seulement — comporte toujours à la fois des aspects psychologiques et des aspects sociaux.

Il convient néanmoins de préciser ce qui distingue le point de vue du sociologue de celui du psychologue. Le psychologue étudie plutôt l'investissement mental et affectif des individus. Il analyse leurs comportements et leur aptitude à communiquer, en fonction de leur profil psychique et de leur histoire personnelle. Tandis que le sociologue s'intéresse avant tout, à la dimension sociale des rapports. Il met entre parenthèses la subjectivité et la psychologie des individus, pour se concentrer sur ce qu'il y a de social dans leurs relations.

Avant de chercher à préciser ce qui caractérise cette « socialité » des rapports humains, on notera qu'à certains égards, le sociologue adopte un point de vue plus général que le psychologue. D'une part, le sociologue replace toujours les relations interpersonnelles dans le cadre plus large, des groupes, des organisations, des institutions, dans lesquels s'inscrivent ces rapports humains. D'autre part, s'il analyse des relations entre individus, il étudie également, à travers elles, les rapports qui s'établissent entre groupes d'individus.

De fil en aiguille, c'est donc finalement toute l'organisation sociale que le sociologue ambitionne de mieux comprendre. Schématiquement, on dira que ce qui intéresse le psychologue, dans les relations entre individus, ce sont la

formation et l'évolution des personnalités, alors que ce qui intéresse le sociologue, dans ces mêmes relations, c'est l'organisation sociale et son évolution.

L'INTERDÉPENDANCE ET LE NOMBRE

Les rapports humains — que le sociologue appelle donc rapports sociaux —
sont au centre, ou à la base, des préoccupations sociologiques. D'une certaine
manière, on peut même considérer qu'ils représentent l'élément le plus petit, la
formation sociale la plus simple. Les collectivités humaines, les groupes et
toutes les formations sociales complexes qu'étudie le sociologue, sont constitués
de rapports humains, de relations entre individus.

La question se pose alors de savoir ce qui permet au sociologue de passer
insensiblement d'une analyse des relations interindividuelles, à l'analyse de
formations sociales plus étendues. Pour comprendre ce qui rend possible ce
passage, deux dimensions importantes de la vie en société doivent être prises en
compte : l'interdépendance des êtres humains, et leur nombre.

Lorsqu'on évoque la question des relations humaines, chacun pense spontanément à ce qu'il vit quotidiennement dans sa famille, avec ses amis, avec ses collègues…, en oubliant bien souvent que des centaines, des milliers, des millions
d'individus sont placés dans la même situation. Or cette situation de relation
permanente avec autrui, est une situation de dépendance.

Nous vivons dans des sociétés où la « liberté » de l'individu — à la fois proclamée et sans cesse revendiquée — peut nous faire oublier que nous restons
dépendants les uns des autres. Cette interdépendance des individus limite leur
action individuelle et leur autonomie, mais c'est précisément cette limitation qui
les définit comme des êtres sociaux. Ils peuvent être « libres », ils n'en sont pas
pour autant totalement indépendants.

Prenons, à dessein, un exemple emprunté au domaine des rapports affectifs. Ce
domaine, qui intéresse en premier lieu la psychologie et qui renvoie directement
à la vie intime et privée des individus, peut également concerner les sciences
sociales. Supposons qu'une personne (A) perde subitement un de ses proches
(B). La mort de B, risque d'affecter profondément la personnalité de A. La
relation A - B est rompue, et si ces personnes étaient « très liées » — comme le
souligne cette expression du langage courant — c'est finalement une partie d'elle
même que A va perdre avec la disparition de B. Bien qu'étant « libres », ces
deux personnes étaient, au fond, en position d'interdépendance. La mort de l'une
devait affecter l'autre.

Ce qui a changé avec ce décès, ne se limite cependant pas à la disparition d'une
relation, ni à la douleur de A. C'est l'ensemble du réseau relationnel de A qui
s'en trouve modifié. Une autre personne, qui n'occupait jusque-là qu'une position
relativement marginale dans ce réseau va par exemple se rapprocher de A, ou au
contraire s'en éloigner définitivement.

Ce qu'il importe de comprendre ici c'est que ces personnes sont en situation de
dépendance réciproque. A des degrés variables, ce qui arrive à l'une rejaillit

automatiquement sur les autres. Or ce qui intéresse le sociologue ce sont précisément ces réactions en chaînes et les réseaux qu'elles dessinent. Ces réseaux d'interdépendances sont multiples et se retrouvent dans toutes les dimensions de la vie sociale. C'est pourquoi la notion de *rapports sociaux* comprend, au sens large, l'ensemble des chaînes de dépendances, qu'elles soient de nature affective, professionnelle, pédagogique ou autre.

C'est ici que la question du nombre d'individus intervient, et que les sciences sociales se séparent de la psychologie traditionnelle. Une fois admise l'interdépendance des êtres humains, encore faut-il parvenir à en suivre la dynamique au-delà du champ restreint des relations interindividuelles. Tandis que la psychologie examine les conséquences de ces relations sur la personnalité d'individus pris un à un, les sciences sociales ambitionnent de dépasser la sphère individuelle et ses relations de proximité, pour les intégrer dans des champs d'interdépendance plus étendus.

Ce faisant, elles introduisent une dimension nouvelle. Lorsqu'on tient compte en effet des interrelations possibles à l'intérieur d'un réseau d'échange, on s'aperçoit que le nombre d'individus qui composent ce réseau est une variable déterminante. Pour illustrer ce phénomène, le tableau suivant présente l'accroissement des possibilités d'interrelations à l'intérieur d'un réseau, à mesure que le nombre de termes impliqués dans ce réseau augmente.

TABLEAU I

Augmentation des possibilités d'interrelations en fonction du nombre d'individus

Nombre d'individus	Relations « à deux » $X = \dfrac{n(n-1)}{2}$	Ensemble des relations possibles « simples » $X = 2^n - (n+1)$
2	1	1
3	3	4
4	6	11
5	10	26
6	15	57
7	21	120
8	28	247
9	36	502
10	45	1013

Tandis qu'un réseau de quatre personnes admet 6 relations « à deux » (AB AC AD BC BD CD), et 11 relations « simples » (AB AC AD BC BD CD ABC ABD ACD BCD ABCD), un réseau de huit personnes (seulement deux fois plus important donc), admet déjà 28 relations « à deux », et 247 relations « simples ».

On objectera qu'il s'agit là de relations potentielles dont un bon nombre ne se réaliseront peut-être jamais dans la réalité. Pourtant, cette illustration mathématique est encore réductrice par rapport à la complexité réelle des rapports sociaux envisagés à grande échelle. Lorsque le sociologue parle de rapports sociaux, il pense à des réseaux de relations infiniment plus importants et infiniment plus complexes.

Imaginons que A soit en rapport avec B, et que par ailleurs A soit également en rapport avec C. Chacun sait d'expérience qu'il y a d'assez fortes chances pour que B et C se rencontrent un jour. Ne faisons-nous pas plus souvent connaissance avec les relations de nos amis qu'avec « des inconnus » ? Ce phénomène d'enchaînement — que certains sociologues désignent parfois sous le terme de *reliance* — tisse des réseaux infinis. Pour rester dans le champ des relations d'amitié, il suffit de se souvenir que nos amis ont des amis qui ont des amis, etc. Et dans tous les cas, lorsque nous faisons connaissance avec une personne qui jusqu'ici nous était inconnue, c'est un peu avec l'ensemble du réseau de cette personne que nous sommes soudain mis en contact.

Certes, toutes les connexions potentielles ne se réaliseront pas, mais c'est là justement l'une des raisons de la complexité des liens sociaux. Les réseaux d'interrelations sont en constante mutation. Les liens qui unissent les individus, et qui constituent pour ainsi dire la trame des ensembles humains, se caractérisent par une extrême diversité. Ils peuvent être éphémères ou durables, superficiels ou essentiels, conscients ou inconscients, etc.

Par ailleurs, une relation que nous symbolisons ici par le rapprochement de deux lettres, se présente dans la réalité sous une forme éminemment plus complexe. Si l'on tient compte par exemple des différences sociales qui s'observent dans une relation donnée — disons entre un chef d'entreprise et un employé — il faudra considérer que la relation A - B n'est peut-être pas exactement la même que la relation B - A, chacun des acteurs percevant cette relation de manière différente.

Le rapprochement de A et de B ne se présente donc jamais comme une simple connexion. Contrairement aux réseaux électriques, le courant vient toujours des deux côtés. De sorte qu'une relation « simple » à deux termes — A et B pouvant aussi bien représenter ici des individus que des groupes d'individus — doit au moins être considérée comme une relation double. Dans cette optique, si l'on comptabilise le nombre de relations possibles à perspectives multiples, les progressions chiffrées indiquées ci-dessus subissent une accélération encore plus considérable.

Or, ces enchaînements d'interactions ont une incidence directe sur les individus et les groupes, dans la mesure où aucun d'eux ne peut espérer contrôler seul la dynamique de ces réseaux. Le nombre d'interrelations, le nombre de forces reliées, impose par lui même une logique qui échappe aux acteurs sociaux pris individuellement. Il suffit de penser à des phénomènes sociaux tels que les mouvements d'opinion, les modes vestimentaires ou les formes de politesses, pour prendre conscience que les rapports sociaux ne dépendent pas uniquement de choix individuels. Les conduites humaines, et les formes relationnelles sont partout modelées par le nombre des échanges et des liens. Dans des contextes géographiques et historiques variés, les ensembles humains produisent — en quelque sorte par eux-mêmes — des formes de relations sociales qui dépassent toujours la volonté des individus.

Pour autant, cela ne signifie pas que les individus ou les groupes n'aient aucun pouvoir. Chaque conduite, chaque mouvement individuel ou collectif produit au contraire des réactions en chaîne, et ce sont précisément ces mouvements et ces réactions, qui contribuent à l'évolution permanente des rapports sociaux. Simplement, une action individuelle ou collective — quelle qu'elle soit — ne peut être analysée du point de vue sociologique, que si elle est replacée dans le maillage complexe où elle s'inscrit, ce maillage de rapports sociaux la définissant pour une large part.

DÉFINITIONS

Les rapports sociaux ont été définis par les sociologues, de diverses manières. Nous retiendrons ici deux définitions.

Certains sociologues — à la suite notamment du philosophe belge Eugène Dupréel[1] — ont considéré que l'on pouvait parler de *rapport social*, lorsqu'un individu ou un groupe d'individus, influençait les actes ou les états psychologiques d'un autre individu ou d'un autre groupe. Une deuxième définition a été proposée par Max Weber[2] (1864-1920), qui estime qu'on a à faire à un rapport social, lorsque ce rapport engendre des comportements attendus, au sens de prévisibles.

Ces deux définitions ne sont pas contradictoires. La première met l'accent sur des phénomènes d'influence : les individus et les groupes humains, seraient porteurs d'une sorte de « force sociale » qui s'exprimerait sous des formes variées (coercition, persuasion, séduction...). Selon cette définition, tout rapport social est marqué par un échange de forces qui vient modifier plus ou moins, le comportement des individus ou des groupes qui sont impliqués dans ce rapport.

La seconde définition met l'accent, non plus sur des jeux d'influence mais sur la signification des comportements résultant de ces interactions. Les individus et les groupes accordent des significations aux rapports qu'ils entretiennent avec leurs semblables, et réagissent en fonction de ces significations. Localement, ces significations sont partagées par le plus grand nombre et permettent ainsi une communication sociale. Autrement dit, les rapports sociaux sont toujours chargés de significations, et c'est précisément en fonction de ces significations, que les individus et les groupes réagissent les uns par rapport aux autres.

Si l'on admet que ces deux définitions peuvent être associées, on dira qu'un rapport social se présente comme un jeu de forces entre des individus ou entre des groupes, et que ce jeu de forces s'inscrit dans un champ de significations. Cette définition reste néanmoins très générale.

Depuis que la sociologie existe, c'est-à-dire depuis le début du XIXe siècle, les sociologues ont tenté de classer les rapports sociaux. A défaut de pouvoir en

---

[1] Dupréel (E.), *Le Rapport social*, Alcan, 1912.
[2] Weber (M.), 1922, *Économie et Société*, trad. fr. partielle, Paris, Plon, 1971.

fournir une définition plus précise, ils ont multiplié les classifications. Ces classifications et ces typologies sont souvent incomplètes ou discutables, mais elles permettent d'apporter d'autres éléments de réflexions en éclairant l'extrême diversité des formes relationnelles existantes.

CLASSIFICATIONS

Une première distinction peut être établie entre des rapports **unilatéraux** et des rapports **bilatéraux**. Par exemple, si A agit sur B, sans que le comportement de B rejaillisse véritablement sur celui de A, on parlera d'un rapport unilatéral. En revanche, leur relation sera qualifiée de bilatérale, si A et B s'influencent mutuellement. Ce qui permet de distinguer un rapport unilatéral d'un rapport bilatéral repose donc finalement sur un déséquilibre marqué des capacités d'influence. En règle générale, le rapport hiérarchique dans l'entreprise se présente plutôt comme un rapport unilatéral.

Dans une autre perspective, on peut également distinguer des rapports **positifs** et des rapports **négatifs**. Cette distinction ne s'appuie évidemment pas sur un jugement de valeur ou un jugement moral que le sociologue porterait sur les rapports sociaux qu'il se propose d'étudier. Il faut rappeler que la sociologie ne se présente pas comme une discipline normative. Contrairement aux sciences juridiques qui doivent déboucher sur des règles de conduites, la sociologie part du principe que toutes les conduites et que tous les phénomènes sociaux peuvent être analysés sans distinction de valeur. Une conduite répréhensible par la loi est considérée, par le sociologue, comme un phénomène aussi intéressant à étudier qu'une conduite acceptée par la société.

Il ne s'agit donc pas ici d'un jugement de valeur. Sont considérés comme étant positifs, les rapports sociaux qui sont acceptés par les individus impliqués dans ces rapports. Sont considérés comme négatifs, ceux qui reposent sur un antagonisme. Les rapports positifs sont nécessaires à l'existence et à la cohésion des ensembles humains. Sans un minimum d'accord, les groupes se désagrègent.

Cette distinction entre des rapports positifs et négatifs est intéressante, parce qu'elle permet d'éclairer le problème de la cohésion des ensembles humains. Trop de rapports négatifs peuvent conduire au fractionnement, voire à l'éclatement et à la disparition d'un corps social.

En même temps, on s'aperçoit vite que la réalité est plus complexe. Les conflits entre individus et entre groupes sont permanents, et ces conflits ne conduisent pas nécessairement à une désagrégation des ensembles humains. Par exemple, les membres protestataires d'un groupe peuvent involontairement renforcer, par un effet de réaction, la cohésion du groupe auquel ils appartiennent. De même, un grand nombre de conflits mineurs, orientés chacun dans une direction différente, peuvent également contribuer à la cohésion d'un groupe, en interdisant toute mobilisation sur un conflit unique.

Par ailleurs, si un conflit est bien le signe d'une opposition, voire d'une hostilité, il ne faut pas perdre de vue que ce conflit ne se manifeste que parce qu'il existe un objet commun, qui se situe précisément au centre du litige. Le conflit peut donc être envisagé sous l'angle du désaccord, mais il peut également être considéré plus largement comme la rencontre de forces rivales, unies autour d'un même objet. En somme, si les rapports positifs conduisent incontestablement à des processus de rassemblement et d'agrégation, il faut souligner que les rapports négatifs ne conduisent pas nécessairement à des processus de désagrégation.

Aussi a-t-on proposé d'établir une distinction entre des rapports **fonctionnels** et des rapports **dysfonctionnels**. Les rapports fonctionnels sont ceux qui contribuent au développement ou au maintien des structures sociales, tandis que les rapports dysfonctionnels sont ceux qui mettent en péril ces structures. Dans cette optique, on remarquera qu'un rapport négatif peut fort bien être défini comme un rapport fonctionnel.

Cette distinction propose donc implicitement d'établir une sorte de bilan des rapports sociaux. Une telle entreprise présente néanmoins certaines limites. Pour juger du caractère fonctionnel ou dysfonctionnel d'un rapport social, il faudrait en effet pouvoir comptabiliser tous les phénomènes qui découlent de ce rapport et analyser la manière dont ces phénomènes rejaillissent sur l'ensemble de la vie sociale. Sauf à se contenter d'un diagnostic limité à un groupe particulier, il faudrait pouvoir suivre l'enchaînement des conséquences au niveau des acteurs eux-mêmes, puis au niveau des groupes restreints dont ils sont membres, et remonter ainsi progressivement jusqu'à la société globale à laquelle ils appartiennent.

Or cette recherche des conséquences multiples est particulièrement délicate à réaliser, ne serait-ce que parce que les collectivités humaines sont en constante transformation. Pour décider qu'un rapport social favorise un processus de désagrégation ou au contraire d'agrégation, il faudrait pouvoir arrêter le cours du temps. Rien n'interdit de penser qu'un rapport jugé dysfonctionnel à un moment donné, dans un contexte donné, se révèle avoir été fonctionnel quelques années plus tard.

Une distinction a également été opérée par Ferdinand Tönnies (1855-1936) en 1887, entre des rapports **communautaires** et des rapports **sociétaires**[1]. Selon cet auteur, les rapports sociaux existant au sein de ce qu'il appelle une communauté (*Gemeinschaft*) sont essentiellement fondés sur l'élan spontané et sur l'instinct des individus. L'amour, la haine, l'amitié, la compassion, etc., instaurent des relations de type communautaires, dans la mesure où ces élans, qui sont toujours fortement chargés d'affectivité, sont à l'origine de communautés humaines de dimensions réduites. Les liens de parenté, les relations de voisinages, les rapports d'amitié, les entreprises de séduction, etc., sont à classer parmi les rapports communautaires. Ce sont des liens « organiques ».

En revanche, les relations fondées sur la volonté réfléchie, abstraite et calculatrice, relèvent des rapports sociétaires, c'est-à-dire de ceux qui donnent naissance à la société (*Gesellschaft*). Les échanges économiques par exemple reposent sur un système abstrait et anonyme. Acheteurs et vendeurs sont associés par un contrat qui ne repose sur aucun lien affectif, ils sont « organiquement séparés ». Tandis que la communauté se caractérise par des relations vivantes et

---

1 Tönnies (F.), 1887, *Communauté et Société*, trad. fr., Paris, Retz, CEPL, 1977.

chaudes, la société est marquée par des relations froides, extérieures et conventionnelles.

Cette typologie simple qui oppose rapports communautaires et rapports sociétaires renvoye évidemment à deux pôles extrêmes que l'on trouvera difficilement tels quels, dans la réalité. On peut en effet considérer que tous les ensembles humains admettent ces deux types de rapports sociaux. Rappelons que le but d'une typologie est plutôt de fournir un outil d'analyse qui permette, dans le cas présent par exemple, de classer les groupes humains en fonction du type de rapport qui domine. Tönnies estime ainsi qu'il existe des ensembles humains où les rapports communautaires l'emportent, et d'autres où ce sont les rapports sociétaires qui sont dominants.

Au-delà des présupposés discutables de l'auteur — au-delà de son choix marqué, à la fois pour des rapports intimes idéalisés, et pour une *communauté* mythique renvoyant manifestement à un âge d'or de l'humanité — cette typologie présente le mérite de souligner que les rapports sociaux ont peut-être une version « privée » et une version « publique. » Plus récemment, Michel Forsé[1] a par exemple proposé de distinguer une forme « interne » de sociabilité, essentiellement centrée sur la famille en tant que groupe domestique, et une forme « externe », tournée vers les amis, les relations de travail, l'environnement social. Sans que ce découpage ne reprenne celui que proposait Tönnies au siècle dernier, la proposition de M. Forsé réactive la question d'un partage des formes relationnelles en deux grandes catégories.

Mais parallèlement à ce genre de typologies générales et bipolaires qui tentent de couvrir l'ensemble des rapports sociaux, on peut aussi envisager de définir les relations humaines, telles qu'elles apparaissent dans un domaine précis de la vie sociale.

RAPPORTS DE PRODUCTION

Pour définir, dans le domaine économique, ce qu'il appelle un *mode de production*, Karl Marx (1818-1883) a introduit les notions de *forces productives* et de *rapports de production*.

Les forces productives, ou forces de production, correspondent aux techniques employées dans la production des biens matériels. D'un lieu et d'une époque à l'autre, ces forces productives changent radicalement. Pour labourer la terre par exemple, les hommes peuvent se servir d'une houe, d'une charrue tirée par des bœufs, ou d'un tracteur. Globalement, depuis le début de l'humanité, les techniques n'ont cessé de se développer, conduisant à un accroissement de l'efficacité du travail humain.

Les rapports sociaux de production sont les rapports que les hommes entretiennent entre eux dans le cadre de forces productives données. Ces rapports de production sont notamment conditionnés par une répartition des richesses et par une division du travail, liées au niveau de développement des forces pro-

---

[1] Forsé (M.), " La sociabilité ", *Économie et Statistique* n°132, INSEE, avril 1981.

ductives. Ainsi, la combinaison de l'état des forces productives et des rapports de production définit, de manière théorique, un mode de production.

Les rapports de production ne se limitent cependant pas à ce que nous appelons aujourd'hui les relations professionnelles. Ces dernières ne représentent en quelque sorte que la partie immergée de l'iceberg. Les conflits et les négocia-tions engageant les salariés, les employeurs ou les pouvoirs publics peuvent être considérés comme des phénomènes conjoncturels. Les rapports de production eux sont structuraux. Ils désignent l'ensemble de l'organisation humaine du travail dans une société donnée. Dans le mode de production capitaliste par exemple, les rapports de production reposent principalement sur le fait qu'une minorité d'individus est détentrice des moyens de production.

Pour Marx, la description précise des modes de production (féodal, capitaliste, etc.) devait permettre d'expliquer l'ensemble de la dynamique sociale. Aussi les rapports sociaux étaient-ils largement déterminés, selon lui, par les rapports de production.

Que l'on relativise aujourd'hui l'importance de la sphère économique par rapport à d'autres réalités sociales — après avoir reproché à Marx son déterminisme économique — n'autorise pas à nier l'existence de rapports sociaux spécifiques liés à l'organisation du travail.

De la même façon, s'il est admis aujourd'hui que l'organisation du travail ne dépend pas exclusivement du développement des techniques, il semble difficile de remettre en cause l'existence d'un lien étroit unissant les « progrès » de la science et les rapports de production. Actuellement par exemple, la généra-lisation de l'outil informatique s'accompagne de modifications importantes dans la répartition des pouvoirs et des responsabilités.

RAPPORTS LUDIQUES

Le jeu est traditionnellement situé aux antipodes du travail. Pour les enfants comme pour les adultes, jouer revient à se situer en dehors des contraintes de la vie sociale. Selon une expression courante utilisée en mécanique, dire d'une pièce qu'elle a « du jeu » signifie qu'elle a une certaine liberté de mouvement, une certaine indépendance par rapport aux autres rouages de la machine.

Pour le mot « jeu » les anglo-saxons utilisent deux termes différents : « *play* » et « *game* ». Le premier renvoie à tout ce qui concerne l'amusement, le divertissement. Un « jeu de mots » se dira par exemple : « *a play on words* ». Le second désigne les jeux organisés comme le football ou les échecs. Ces deux dimensions du jeu — d'un côté le divertissement qui peut aller jusqu'à la recherche d'un certain vertige (il suffit de penser aux manèges des fêtes foraines), et de l'autre les jeux de compétition ou de hasard — se retrouvent dans toutes les sociétés.

Chez l'enfant, le jeu tient une place essentielle dans le processus de socialisation. Dans ses premières années, lorsqu'il joue seul ou avec d'autres, l'enfant endosse librement toutes sortes de rôles à sa fantaisie. Il se donne la liberté de changer lui-même son rapport au monde. Plus tard, lorsqu'il aborde des jeux plus codifiés, il apprend à mieux tenir compte du rôle de ses partenaires. Qu'il soit régi par des règles apprises ou partiellement inventées, le jeu participe donc à l'apprentissage de la vie collective. Pour autant, il se caractérise toujours par une certaine distance vis-à-vis de la vie sociale normale.

Chez l'adulte, comme chez l'enfant, le jeu offre en effet la possibilité aux individus de changer leur rapport au monde et leur rapport à autrui. Globalement, cette modification des rapports se présente de deux manières.

Tantôt le jeu permet aux individus de conjurer la complexité des rapports sociaux habituels en proposant un univers artificiel et temporaire d'égalité pure. Une compétition ponctuelle fondée sur des règles simples, ou une participation à un jeu de hasard permettent d'espérer un reclassement des positions et par conséquent une modification au moins temporaire des rapports avec autrui. Au début d'une partie, tous les joueurs sont dans une position d'égalité.

Tantôt l'individu modifie son rapport au monde, soit en se créant un autre personnage, soit en marquant une distance entre lui et les autres, une distance qui peut aller de l'ironie distinguée, aux transports les plus extrêmes. Certains jeux combinent évidemment ces différents éléments.

En résumé, les rapports ludiques présentent au moins trois caractéristiques essentielles.

D'une part, ils sont toujours vécus par les joueurs comme étant situés en dehors des rapports sociaux normaux. Chaque joueur reste en général conscient de la distance qui sépare le jeu du monde réel. Dire « je ne joue plus » revient à réintégrer l'activité normale, ou à exiger des rapports sociaux « normaux ». Le temps et l'espace du jeu sont ainsi nettement délimités.

D'autre part, bien qu'ayant ce caractère d'extériorité et d'indépendance par rapport aux déterminations ordinaires, les relations entre joueurs ne sont jamais sans rapports avec celles de la vie sociale normale. Qu'elles reposent sur des règles claires ou sur des formes de relations moins codifiées, elles en sont toujours une sorte de parodie ou d'inversion.

C'est pourquoi les rapports ludiques jouent un rôle compensatoire à l'égard des déceptions ou des frustrations engendrées par la vie sociale. S'ils ne conduisent pas nécessairement à des transgressions ou à des inventions, les moments de jeu tendent néanmoins toujours à rendre plus supportables les imperfections et les rigidités de la vie en société.

On notera enfin que les rapports ludiques s'accompagnent assez souvent d'un comportement particulier que l'on nomme l'hilarité. Si toutes les situations de jeu ne déclenchent pas nécessairement chez les joueurs des explosions de rires, le rire partagé s'observe tout de même fréquemment dans les ambiances ludiques.

D'après David Victoroff[1], il est possible de distinguer deux sortes de rires. Le rire « spontané », et le rire « stéréotypé ». Le premier résulte d'un effet de surprise. Avant de raconter une histoire drôle, les narrateurs s'inquiètent géné-

---

[1] Victoroff (D.), *Le Rire et le Risible. Introduction à la psycho-sociologie du rire*, Paris, Presses Universitaires de France, 1953.

ralement de savoir si leur auditoire la connaît. Ils savent d'expérience que devant un public déjà au courant, l'effet d'hilarité escompté risque de ne pas se produire. La surprise apparaît ainsi, dans de nombreux cas, comme une condition du rire.

Cependant, la nouveauté n'est pas toujours aussi indispensable au déclenchement du rire. Il est des situations où l'on rit en quelque sorte par habitude. Le rire, ou le sourire lorsqu'il s'agit d'un rire atténué, se présentent alors le plus souvent comme une conduite stéréotypée, comme une réaction attendue par la société.

Que le rire soit spontané ou stéréotypé, il a généralement pour effet de rendre irréel ce à quoi il s'applique. Cet effet anéantissant du rire, le fait qu'il entoure la chose ou la personne risible d'un « halo d'irréalité », s'observe clairement lorsque le rire s'attache par exemple à une autorité. La crainte ou le respect que cette autorité inspire dans la réalité, sont pour un temps anéantis par le rire.

Comme le jeu, le rire permet ainsi d'effacer momentanément certaines déceptions ou frustrations. On notera à cet égard que les stéréotypes comiques se rattachent le plus souvent à des sujets qui inquiètent ou qui tourmentent. Le sexe, les figures d'autorités, les étrangers ou les rivaux, constituent des sujets privilégiés.

Aussi n'est-il pas surprenant que les ambiances ludiques favorisent l'émergence des stéréotypes comiques. Lors du jeu, tout ce qui pourrait encore provoquer un désagrément devient une occasion de rire.

Au sein des groupes sociaux, les ambiances ludiques et les stéréotypes comiques, jouent à la fois un rôle de défense contre les dangers ou les ennuis extérieurs, et un rôle d'intégration à l'intérieur du groupe. On rit ou on sourit, pour exprimer son mépris, mais aussi pour souhaiter la bienvenue, ou pour manifester sa complicité, sa solidarité.

Chapitre 3

GROUPES SOCIAUX

La notion de groupe social s'applique à des ensembles humains de natures et de dimensions très variées. On emploie par exemple cette notion pour désigner aussi bien une assemblée religieuse de plusieurs milliers de fidèles, qu'une association de locataires, un groupe familial, une bande de copains, une grande entreprise, un groupe de pression, une administration publique ou une équipe sportive.

Aussi différentes que soient ces configurations sociales par leur taille, leur durée de vie, leurs objectifs déclarés, ou leur mode de fonctionnement, elles se présentent toutes comme des ensembles d'individus aisément repérables dont les membres entretiennent manifestement des relations spécifiques. Au sein de ces entités sociales se partagent en effet certaines convictions, certaines activités, certains intérêts ou certains sentiments.

L'idée de partage laisse entendre que les personnes qui composent ces groupes sont unies sur la base d'un minimum d'accord. Comme il a été précisé au chapitre précédent, c'est la prédominance de rapports sociaux positifs — conscients ou inconscients — qui permet l'existence concrète de ces entités.

On notera à ce propos, que la notion de groupe social ne doit pas être confondue avec celle de **catégorie sociale**. Une catégorie sociale est établie dans un but de classification et d'analyse. Lorsque le sociologue définit des catégories de personnes à partir de caractéristiques communes telles que l'âge, le sexe, le niveau d'instruction ou de revenu, il ne définit pas des groupes sociaux. Bien que ces catégories soient quelquefois désignées par des expressions telles que « groupes statistiques » ou « groupes nominaux », il faut bien voir que les personnes qui les composent ne forment pas des groupes constitués. Les 25-35 ans, titulaires d'un diplôme supérieur ou égal au Baccalauréat, vivant en milieu urbain, ne sont liés concrètement par aucun réseau relationnel spécifique. Des caractéristiques communes ne suffisent donc pas à définir un groupe social.

Devant l'immense diversité des groupes sociaux, les chercheurs se spécialisent généralement dans l'étude de certains types de groupes particuliers. Les groupes sociaux « élémentaires » constituent l'un de ces types.

LES GROUPES ÉLÉMENTAIRES

La notion de « groupe élémentaire » est en concurrence avec d'autres notions voisines, tel que « petit groupe », « groupe restreint », ou encore « groupe primaire ». Nous allons nous arrêter brièvement sur chacune d'elles, et après qu'un certain nombre de nuances auront été apportées, nous utiliserons ensuite indifféremment ces quatre notions, comme s'il s'agissait de synonymes. Lorsque les sociologues parlent de « petits groupes », de « groupes restreints », de « groupes élémentaires », ou de « groupes primaires », ils pensent en réalité tous au même type de groupe.

Il est évident qu'un **petit groupe** est un groupe composé d'un petit nombre de personnes. L'inconvénient de cette dénomination est qu'elle soulève implicitement une question embarrassante : à partir de combien de personnes un groupe cesse-t-il d'être petit pour devenir moyen ou grand ? Il semble bien difficile de fixer un nombre.

Par ailleurs, le nombre de personnes n'est pas un critère suffisant. Par exemple, le groupe que forme un conducteur d'autobus et ses passagers, ne peut pas être considéré comme un petit groupe social. Il est bien composé d'un nombre restreint d'individus, mais ces individus ne se connaissent généralement pas. Rien ne favorise d'ailleurs leur rapprochement. Dans les grandes villes notamment, ces passagers ne sont jamais les mêmes, et de toute manière ils ne sont le plus souvent rassemblés que pour un temps très limité. Entre les stations, une partie des voyageurs changent.

En revanche, si l'on imagine une commune rurale isolée, où des ménagères prennent chaque semaine un autocar spécialement affrété par la municipalité pour les conduire au marché de la ville la plus proche, peut-être pourra-t-on commencer à parler d'un petit groupe social dans la mesure où toutes ces personnes se connaissent et que des liens se sont progressivement noués entre elles.

On parle donc d'un petit groupe ou d'un groupe élémentaire, non seulement lorsque le nombre de personnes qui composent le groupe est limité, mais également lorsque certains types de rapports se sont établis à l'intérieur de ce groupe restreint.

L'expression de **groupe restreint** veut dire restreint en nombre de personnes, mais sous-entend également qu'il s'agit d'un groupe restreint par rapport à un ensemble plus vaste. Par exemple, dans une entreprise d'une certaine importance, des regroupements d'individus peuvent former des groupes restreints, constituant ainsi des unités plus petites, incluses dans l'unité plus importante que représente l'entreprise.

Mais là encore, ce n'est pas seulement le nombre de personnes qui compte. Prenons l'exemple d'une entreprise de taille moyenne. Lorsqu'un délégué du personnel s'adresse à l'ensemble de ses collègues regroupés en assemblée générale, et lorsque ce même délégué se retrouve après la réunion publique, avec seulement quelques militants autour d'un verre, les relations qu'il entretient au sein de ce petit groupe de camarades, ne sont plus de même nature. Ce groupe de militants qui se retrouvent peut-être chaque semaine dans le même café, se distingue des groupes plus importants que constituent notamment le syndicat et l'entreprise, par les liens spécifiques qui unissent ses membres.

Il convient cependant de souligner que les liens spécifiques qui cèlent un groupe restreint ne résultent pas nécessairement de relations anciennes ou régulières. Quatre personnes réunies occasionnellement autour d'une table pour jouer aux cartes, constituent en quelque sorte un groupe restreint éphémère. Même si ces personnes ne se connaissent pas, les règles du jeu instaurent des liens d'interdépendance tellement étroits, que le seul fait d'avoir accepté de jouer, ne serait-ce que le temps d'une partie, les place dans une situation de groupe.

En résumé, pour qu'on puisse parler d'un groupe élémentaire ou restreint, il faut que les rapports qu'entretiennent ses membres revêtent, sinon une certaine fréquence, du moins une certaine intensité ou un certain degré d'intimité. C'est précisément à propos de cette dernière dimension d'intimité, que la notion de groupe primaire a été proposée.

Cette notion de **groupe primaire** a été présentée au début du siècle, par un sociologue américain nommé Charles Horton Cooley, qui en donne la définition suivante. « Par groupes primaires, j'entends ceux qui sont caractérisés par l'association et la collaboration intime d'individu à individu. [...] L'association psychologique intime entraîne un certain degré de fusion des individualités dans un ensemble commun de sorte que le "moi" se dilue en partie dans les objectifs communs du groupe. La manière la plus simple de décrire ce sentiment d'une totalité, est de dire que le groupe est un "nous" »[1].

Il y a dans cette définition deux idées. D'une part, il s'agit d'un petit groupe, puisque les membres collaborent intimement d'individu à individu. Dès que les groupes deviennent importants, la collaboration directe entre les individus n'est plus possible. D'autre part, il y a dans ce groupe ce qu'il appelle un sentiment du « nous ». Or il existe des groupes extrêmement étendus où ce sentiment du « nous » est très important. Par exemple, les membres militants d'un grand parti politique. En d'autres termes, pour que le sociologue puisse commencer à parler d'un groupe primaire ou élémentaire, le sentiment du « nous » n'est pas suffisant. Il faut qu'il y ait également un certain degré d'intimité.

Le groupe élémentaire par excellence, est évidemment la famille. Mais il en existe bien d'autres. Un groupe de camarades, une association de malfaiteurs, un conseil restreint d'administration, une troupe de comédiens, etc., peuvent être considérés comme des groupes élémentaires.

Depuis longtemps, les spécialistes des problèmes familiaux ainsi que les éducateurs, se sont intéressés aux rapports qui s'établissent dans certains de ces groupes. Mais l'étude expérimentale de groupes élémentaires est un phénomène relativement récent. Les premières études ont été réalisées aux États-Unis durant l'entre-deux-guerres. Les expériences de trois chercheurs — Elton Mayo (1880-1949), Jacob Moreno (1892-1974), et Kurt Lewin (1890-1947) — méritent en particulier d'être évoquées.

---

[1] Cooley (C.H.), *Social Organization. A Study of the Larger Mind*. New York, Scribner's, 1909, cité *in* : Mendras (H.), *Éléments de sociologie*, Paris, Armand Colin, Collection U, 1989, p. 36.

Entre 1928 et 1932, **Elton Mayo** a réalisé une étude dans une usine située dans la banlieue de Chicago, où des ouvrières assemblaient des relais téléphoniques. Cette usine appartenait à une grande entreprise nommée Western Electric Company.

L'étude que Mayo a réalisée dans cette usine est considérée comme le moment fondateur de la sociologie du travail. Nous n'insisterons ici que sur les aspects qui concernent la définition des groupes restreints.

La Western Electric Company avait fait appel aux compétences de ce chercheur, car les ingénieurs de l'entreprise se heurtaient à un problème qu'ils ne parvenaient pas à résoudre. Avant de faire appel à Elton Mayo, ces ingénieurs avaient commencé par eux-mêmes, à partir de 1924, à faire des expériences. Ils avaient notamment entrepris d'étudier l'éclairage intérieur des ateliers, en cherchant à déterminer le niveau de clarté le plus favorable à une productivité maximum du travail.

Après avoir prévenu le personnel, ils avaient donc fait varier expérimentalement l'intensité de l'éclairage en constatant que la production augmentait lorsque la luminosité augmentait. Après quoi, ils avaient fait l'expérience inverse, en revenant à un niveau d'intensité plus faible qu'au début. C'est alors qu'ils avaient découvert que la production, soit restait inchangée, soit augmentait encore. Devant cette énigme, ils avaient donc sollicité l'aide d' Elton Mayo qui dirigeait à cette époque une équipe de psychologues à l'université de Harvard.

Le premier réflexe d'Elton Mayo a été de sélectionner quelques ouvrières, d'en constituer un petit groupe et d'étudier ce groupe dans des conditions expérimentales.

Il s'agissait d'un groupe de six volontaires, auxquelles on avait expliqué en quoi consistait l'expérience. Ces ouvrières avaient été prévenues de certains inconvénients, liés notamment à des examens médicaux fréquents, et elles avaient été installées dans un laboratoire qui restituait parfaitement le dispositif de travail habituel. Ce dispositif permettait d'enregistrer, la température de l'air, l'hygrométrie, l'éclairage, le bruit, etc., ainsi que les propos échangés entre les travailleuses, et évidemment la production du travail. Dans la régularité des activités qui rythmaient cet atelier expérimental, Elton Mayo avait également décidé d'introduire, en plus des moments de repos réglementaires, des pauses et des collations.

Durant les mois d'enregistrement, Elton Mayo a fait varier ces différents éléments. Ont notamment été modifiés, les horaires de travail, les temps de pause, le nombre de pauses par jour, la répartition des pauses dans la journée, etc. Après avoir accumulé beaucoup d'informations chiffrées, il s'est agi de chercher à établir des corrélations entre toutes ces données. L'ensemble des corrélations possibles ont ainsi été envisagées, mais sans résultat. Après des mois de calculs et d'analyses, aucune corrélation pertinente n'était apparue. Pourtant il s'était produit un phénomène inattendu.

L'expérience avait commencé en douceur. Dans un premier temps, aucun changement significatif n'avait été apporté. Une phase d'adaptation avait donc été prévue. Puis on avait commencé à introduire deux pauses, et très vite la production avait augmenté. Quelque temps après, avec l'instauration de quatre pauses de durée plus brève, les chercheurs qui entouraient Elton Mayo consta-tèrent que la production continuait d'augmenter. Ensuite, le principe des colla-tions fut engagé. La production augmentait encore. Et puis subitement, tous ces aménagements furent supprimés afin de revenir à la situation de départ. Or, la production avait continué d'augmenter légèrement. En d'autres termes, tout ce qui avait été mesuré, n'avait servi à rien. Plus exactement, il se passait quelque chose qui n'avait pas été enregistré par les outils de mesure.

Ce « quelque chose », était tout simplement la constitution d'un petit groupe de personnes particulièrement soudé. Les six ouvrières s'entendaient bien entre elles, se sentaient associées à un projet intéressant, n'avaient plus de contre-maîtres sur le dos, et pouvaient parler librement de toutes les difficultés qu'elles rencontraient, avec pour une fois le sentiment d'être écoutées. Finalement, les bons résultats économiques s'expliquaient par le climat de confiance qui s'était établi entre les ouvrières et les chercheurs, et par le fait que les ouvrières commençaient peut-être à trouver un sens à leur travail et un certain plaisir à l'accomplir.

De plus, on peut penser qu'elles faisaient probablement tout leur possible pour ne pas décevoir ces observateurs extérieurs à l'entreprise, et qu'elles n'étaient certainement pas insensibles non plus au prestige qu'induisait le fait d'avoir été choisies pour une telle expérience. En comparaison, l'amélioration des condi-tions de travail ou l'augmentation des salaires apparaissaient comme des facteurs bien moins déterminants.

Tandis que ces ouvrières réalisaient jusqu'ici dans le silence, une tâche répétitive et sans intérêt — il faut souligner que l'organisation du travail connue sous le nom de taylorisme, alors en plein essor, conduisait à une parcellisation extrême des tâches d'exécution — elles se trouvaient soudain placées au centre d'un projet global qui leur avait été expliqué, et au sujet duquel on leur demandait en permanence de s'expliquer.

Dans le prolongement de cette recherche, Elton Mayo a développé deux concepts qui permettent de mieux comprendre l'importance des groupes. Il distingue d'un côté ce qu'il appelle « l'organisation technique », c'est-à-dire tout le dispositif de production — de la situation du marché jusqu'aux techniques de fabrication, en passant par l'organisation du travail... — et de l'autre « l'organisation sociale », c'est-à-dire la façon dont les gens vivent ce dispositif de production.

Or pour Elton Mayo, chaque atelier, chaque usine, chaque entreprise, constitue un « système social » spécifique. Il souligne ainsi que chaque entité (atelier, usine, entreprise) est en relation avec son environnement, tout en étant relati-vement fermée sur l'extérieur. Chacune d'elles crée un milieu interne, une sorte d'atmosphère spécifique.

La nouveauté de cette démarche résidait dans le fait de considérer l'entreprise non plus seulement comme une entité économique, mais comme une organisa-tion sociale. Les ateliers, les usines, allaient désormais être définis non plus comme une simple addition d'individus reliés par un dispositif de production, mais comme des groupes sociaux doués d'une dynamique propre. En niant cette dynamique — que certains désignent aujourd'hui sous le terme de « facteur humain » — l'organisation technique du travail n'avait aucune chance de pouvoir faire évoluer la production. En somme, Elton Mayo indiquait qu'il existe une vie du groupe, et que cette dynamique sociale des groupes humains doit être considérée avec au moins autant d'attention que l'efficacité des dispositifs techniques.

En outre, il démontrait que la vie de groupe a une influence directe et importante sur l'activité de chacun de ses membres. Lorsque la production globale augmentait, il avait pu en effet constater que l'efficacité de chaque ouvrière avait, elle aussi, augmenté.

Jacob Moreno (1892-1974) est un psychiatre viennois qui a émigré aux États-Unis en 1927, et qui a développé une critique de certaines théories de Sigmund Freud (1873-1939). Moreno estimait notamment que pour soigner certains patients il était quelquefois préférable de les intégrer dans des groupes, plutôt que de s'entretenir avec eux en tête-à-tête comme le préconisait Freud.

Dans ces groupes, Moreno organisait des jeux un peu particuliers, connus sous les noms de psychodrames et sociodrames. Il s'agit d'une forme de thérapie dont Moreno est l'inventeur. Cette technique thérapeutique invite le patient à rejouer des situations qui ont été traumatisantes pour lui. Techniquement, on réunit plusieurs personnes qui doivent jouer des scènes, un peu comme au théâtre. Dans le psychodrame, la scène s'organise plutôt autour d'une personne, tandis que dans le sociodrame, on espère un effet thérapeutique sur l'ensemble du groupe participant.

Les recherches que Moreno a menées dans ce cadre intéressent surtout la psychologie, mais pas uniquement. Ses travaux en effet, vont rapidement se présenter sous une forme plus générale, qu'il a appelé lui-même « la socio-métrie »[1]. Le mot est ambitieux, puisqu'il désigne selon ses propres termes : « tout ce qui se mesure en sociologie ». Ce terme de sociométrie est encore utilisé aujourd'hui, mais de manière beaucoup plus restrictive. Il désigne uni-quement les techniques que Moreno a mises au point dans le cadre de ses propres analyses.

Les tests sociométriques de Moreno consistaient par exemple à demander aux membres d'un petit groupe, quelles étaient les personnes qu'ils préféraient ou qu'ils rejetaient à l'intérieur de ce groupe. Une fois que tous les membres du groupe avaient répondu aux questions : « qui préférez-vous ? », et « qui rejetez-vous ? », Moreno était en mesure de dessiner un sociogramme, c'est-à-dire un schéma qui représente, en l'occurrence, les liens d'affection (flèches en traits pleins) et les relations d'antipathie (flèche en pointillés).

---

[1] Moreno (J.L.), 1934, *Who shall survive? Foundations of sociometry, group psychotherapy and sociodrama*, New York, Beacon House, trad. fr. : *Fondements de la sociométrie*, Paris, Presses Universitaires de France, 1954.

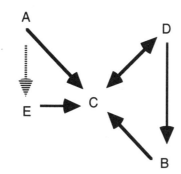

Ce schéma montre que les individus (A-B-C-D-E) n'occupent pas des positions identiques. Par exemple, C reçoit beaucoup de choix positifs. On peut supposer qu'il jouera un rôle particulier et que son avis comptera. Si la situation se présente, c'est probablement lui qui dirigera le groupe. D'autre part il y a ceux qui ne reçoivent aucun choix favorable (A et E). Il y a également ceux qui font l'objet d'un choix réciproque (C et D). Ces derniers ont des chances de former une paire relativement soudée.

Cet instrument simple, permet d'analyser n'importe quelle situation de groupe restreint. Par exemple si on prend deux groupes de quatre personnes, et que l'on a les schémas suivants :

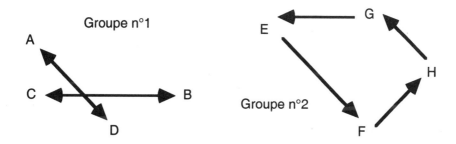

on peut prévoir que le groupe n°1 risque de se diviser sur des questions importantes, tandis que le groupe n°2 aura des chances de présenter une plus grande cohésion.

Dans ces exemples, la question est simple ; elle se limite à « préférer » ou « rejeter. » Mais on peut aussi chercher à obtenir plus de précisions. Par exemple, les réponses risquent d'être différentes si on demande : « qui aimez-vous le mieux ? » et « avec qui préférez-vous travailler ? » On peut aussi demander : « Par qui pensez-vous avoir été choisi ? » etc. Pour un même groupe, on peut donc produire des sociogrammes différents, en vue d'obtenir une connaissance plus fine des relations internes qui scellent un groupe à un moment donné.

Cette technique d'analyse a été considérée par certains comme une technique de prévision et d'organisation. Des sociogrammes ont par exemple été réalisés en temps de guerre pour constituer les équipages des bombardiers américains en 1944. Il s'agissait de composer des équipes de soldats où il y ait le moins d'hostilité possible, le moins d'éléments isolés possible, mais pas trop d'affection non plus.

Parallèlement à la sociométrie de Moreno, il faut également parler des travaux d'un troisième chercheur, qui est à l'origine de ce qu'on appelle « la dynamique de groupe ». **Kurt Lewin** (1890-1947) a travaillé sur le fonctionnement interne des groupes, en cherchant à comprendre comment ces groupes se créent, s'organisent, et évoluent[1]. On aura peut-être remarqué que les tests sociométriques de Moreno s'appuient sur une représentation extrêmement figée et réduite des liens qui unissent les individus. Comme l'a notamment souligné Jean Piaget[2], l'ensemble des polarisations et des tendances qui naissent à l'intérieur des groupes ne résultent pas seulement des « instincts » ou des tempéraments individuels. D'une part, ces choix « spontanés » s'inspirent au moins en partie d'échelles de valeurs qui dépassent les individus et le groupe, et d'autre part, ils évoluent avec le temps.

Pour traiter de ces questions, Kurt Lewin s'est intéressé aux techniques de persuasion, notamment à l'occasion d'une expérience qui se passe durant la deuxième guerre mondiale. A cette époque, Kurt Lewin a été chargé par les autorités américaines, de réfléchir à la meilleure manière de convaincre les populations de diminuer leur consommation de viande de premier choix pour se tourner vers les bas morceaux. En pleine économie de guerre, il s'agissait d'éviter le gaspillage en incitant les ménages à changer leurs habitudes de consommation. Or les autorités américaines avaient eu beau répéter qu'il fallait consommer plus de viande bouillie et moins de bifteck, les consommateurs ne voulaient rien entendre. Pour eux, la viande rouge représentait ce qui donne de la force, et une mère de famille qui n'aurait pas apporté de la viande rouge sur la table n'aurait pas rempli son rôle.

Devant ce problème, Kurt Lewin a réuni des groupes de ménagères — puisque ce sont elles qui font les achats — et a imaginé les deux scénarios suivants. Dans un premier temps, il a proposé à certaines de ces ménagères une série de conférences. Un économiste, tout d'abord, est venu leur expliquer qu'en économie de guerre, si l'on voulait échapper aux tickets de rationnement, il fallait absolument que les habitudes de consommation changent. Ensuite, un spécialiste de la diététique est venu présenter les avantages nutritionnels de la viande bouillie. Enfin, un cuisinier de renom a proposé des recettes pour accommoder ces fameux bas morceaux.

Dans le second scénario, les trois conférenciers ont de nouveau été convoqués, mais au lieu de leur demander de faire des conférences, on a simplement exigé d'eux qu'ils répondent aux questions des ménagères. Évidemment, ces spécialistes ont développé les mêmes arguments que dans la situation précédente, mais sous une autre forme. Si le contenu du message restait inchangé, la forme de l'échange avait été modifiée.

La leçon de cette expérience est simple. On parvient à convaincre beaucoup plus facilement dans le second scénario, car les membres du groupe s'engagent plus

1 Lewin (K.), 1959, *Psychologie dynamique*, Morceaux choisis, trad. fr, Paris, Presses Universitaires de France, 1967.

2 Piaget (J.), 1967, *Études sociologiques*, Genève, Droz, 1977, p. 350.

activement. En effet, lorsque le conférencier attend pour intervenir que des questions lui soient posées, chaque membre du groupe se sent conduit à s'interroger lui-même avant de formuler une éventuelle question. D'autre part, une interaction complexe se construit entre les individus qui constituent le groupe. Peu à peu, c'est le groupe dans sa totalité, qui a le sentiment de se forger une opinion.

Dans le premier scénario — celui des conférences — on s'adresse à des individus qui écoutent sans intervenir. Bien que ces individus soient rassemblés, il n'y a pas véritablement de dynamique de groupe. Dans le second cas en revanche, les personnes qui composent le groupe vont fortement intérioriser ce qui se dit dans la mesure où elles s'y impliquent. Elles vont avoir le sentiment de participer à une sorte de groupe de recherche. Certaines de ces personnes résisteront peut-être, en cherchant à défendre leurs anciennes convictions, mais elles seront très vite minoritaires.

Finalement, les ménagères ont imaginé qu'elles étaient à l'avant-garde de quelque chose, et ce sentiment les a aidées à diffuser autour d'elles leurs nouvelles convictions. Désormais elles pouvaient combattre les résistances de la belle-mère et du mari, parce qu'elles savaient qu'elles n'étaient pas seules à se bagarrer. Ce qui leur donnait cette force, c'était le sentiment d'appartenir à un groupe, dont elles étaient en quelques sortes devenues des membres « militants ».

Les groupes élémentaires ont retenu et retiendront sans doute encore longtemps l'attention de nombreux chercheurs. De par leur taille, les groupes restreints peuvent être « reproduits », étudiés expérimentalement, et surtout observés complètement, dans l'instant. Les trois exemples qui suivent présentent à la fois différents thèmes et différentes méthodes de recherche. Le premier thème concerne le phénomène du meneur. Il semble qu'il n'y ait pas de groupe restreint sans meneur.

Les meneurs

Un meneur est une personne qui exerce un « rôle directeur » sur le groupe. Ce peut être un chef institutionnel — un responsable d'équipe dans une entreprise par exemple — ce peut être aussi un « *leader* informel » dans un groupe d'amis. Évidemment ces deux types de meneurs sont différents. Dans le premier cas, le chef institutionnel sera par exemple autorisé à imposer des sanctions à ses subordonnés, alors que dans un groupe d'amis, le *leader* informel sera immédiatement rappelé à l'ordre s'il menace d'infliger des sanctions à ses détracteurs.

Au-delà de ces différences, la question se pose de savoir ce qui détermine l'existence des meneurs. Traditionnellement, on dit que ce sont les individus les plus éminents qui s'imposent et qui dirigent les autres. Mais au fond, personne n'est vraiment capable de dire en quoi consistent les qualités éminentes d'un chef. Sans doute faut-il que ce meneur ait certaines qualités pour « tenir son rang » — on parle d'honnêteté, d'intelligence, de force, d'habileté,… — mais les qualités qu'on invoque généralement ne sont pas suffisantes pour expliquer le phénomène.

A cet égard, l'une des observations que fit un chercheur américain nommé William F. Whyte, mérite d'être rapportée. Dans les années 40, Whyte a étudié durant une année, un groupe de jeunes immigrants italiens d'un quartier populaire de Boston[1]. On remarquera qu'il ne s'agissait pas d'une expérience de laboratoire mais d'une « observation participante ». Ce chercheur participait à toutes les activités du groupe. Or, l'une des activités principales de cette bande d'adolescents consistait à jouer au bowling. Une très grande attention était évidemment accordée par les membres du groupe, aux scores réalisés. On pouvait donc s'attendre à ce que le degré d'habileté intervienne dans le « choix » du *leader*.

Après avoir longuement observé le groupe, Whyte parvint pourtant à la conclusion inverse. C'était en fait la place qu'occupait chaque adolescent dans le groupe, qui d'une certaine manière « déterminait » son habileté au bowling. Par des pressions subtiles, les membres du groupe amoindrissaient les performances des individus qui occupaient un rang inférieur dans la hiérarchie du groupe, et soutenaient au contraire celles du *leader* notoire.

Cet exemple montre la limite des arguments traditionnels portant sur l'excellence des compétences attribuées aux chefs. En réalité, le phénomène du meneur résulte d'un processus d'interaction qui concerne l'ensemble du groupe. Un meneur n'existe qu'en fonction des besoins du groupe. Si le comportement du meneur ne correspond plus à ce qu'attendent les membres du groupe, tôt ou tard ce meneur risque de perdre sa position, et ce, quelles que soient ses compétences ou sa personnalité.

Lorsqu'un groupe d'amis décide à l'improviste d'aller au cinéma, il y a immédiatement toute une série de problèmes qu'il faut résoudre. Il faut tout d'abord commencer par se mettre d'accord sur le film à voir. Ensuite, si plusieurs cinémas proposent le même film, il faut choisir une salle. Ce choix dépendra éventuellement des réponses que le groupe aura apportées à d'autres questions : veut-on voir une version originale ou une version sous-titrée ? dans quel restaurant ira-t-on ensuite ?… Il se peut qu'un meneur différent émerge à chaque question. C'est en général ce qui se passe dans les groupes occasionnels. Mais il se peut aussi que ce soit à chaque fois la même personne qui résolve tous les problèmes. Un groupe de vieux amis peut avoir pris l'habitude de toujours écouter untel, qui est de fait le meneur du groupe. Cependant, si ce meneur reconnu fait des propositions trop éloignées de celles qui sont implicitement attendues de lui, ses propositions tomberont à plat et c'est une autre personne qui prendra sa place. Le meneur ne peut pas faire n'importe quoi. Son sort dépend de la nature et de la structure du groupe auquel il appartient.

---

[1] Whyte (W.F.), 1943, *Street Corner Society : the social structure of an italien slum*, Chicago, University of Chicago Press, 1965.

Différents types de direction

Afin de mieux comprendre comment les groupes réagissent aux propositions d'un chef institutionnel, Kurt Lewin et deux de ses collègues[1] ont mené en 1938, une expérience devenue célèbre depuis. Cette expérience impliquait des enfants âgés d'une dizaine d'années. Trois groupes d'enfants avaient été constitués, et sous la direction d'un adulte, chaque groupe devait confectionner des masques de théâtre. Il s'agissait d'une activité de loisir qui avait lieu seulement deux heures chaque semaine.

L'expérience devait consister à soumettre chaque groupe d'enfants à un type de direction particulier. Pour annuler l'effet de la personnalité des dirigeants, la précaution avait été prise d'établir une rotation des animateurs. Par ailleurs, la composition de ces groupes devait être la plus homogène possible. On fit donc en sorte que dans chaque groupe, les enfants ne diffèrent en moyenne ni par l'intelligence, ni par les liens qu'ils avaient eus entre eux auparavant.

Dans un premier groupe, la direction devait être de type « autoritaire ». La ligne de conduite était arrêtée par l'animateur qui décidait seul des techniques à utiliser et des activités à entreprendre. Les enfants n'étaient pas informés des différentes étapes qui devaient les conduire à la réalisation des masques, et l'enseignant donnait des ordres sans jamais participer lui-même à l'activité du groupe.

Le deuxième type de direction pourrait être qualifié de « démocratique ». L'animateur permettait aux enfants de discuter à la fois de ce qu'il convenait de faire, et de la manière de s'y prendre. Les décisions étaient prises par le groupe, à partir des suggestions du dirigeant.

Quant au dernier type, c'était le « laisser-faire ». Le groupe était soumis à une absence de direction, et l'animateur, qui était tout de même présent, n'intervenait que lorsque certains membres du groupe le lui demandaient. En fait, il s'agissait moins d'un dirigeant, que d'une sorte d'expert mis à la disposition des enfants.

Les résultats auxquels aboutit cette expérience, portent sur deux aspects. D'une part, « l'efficacité » du groupe, et d'autre part « le moral » du groupe.

Au niveau de l'efficacité, on constate que le groupe autoritaire est plus rapide que le groupe démocratique. Il faut en effet plus de temps au groupe démocratique pour répartir les rôles et pour prendre les décisions. En revanche, le groupe démocratique effectue un travail de meilleure qualité. Le groupe où règne le laisser-faire est quant à lui d'une inefficacité totale.

En ce qui concerne le moral, c'est dans le groupe démocratique où il est le meilleur. Les conditions et les consignes de travail ont été bien acceptées par les enfants. N'oublions pas qu'ils les ont partiellement définies. Dans le groupe autoritaire en revanche, les frustrations sont plus nombreuses car tout à été imposé sans discuter. Quant au groupe « permissif », la satisfaction de ses membres est minimale du fait de l'inefficacité du groupe. Les enfants ne sont pas

---

[1] White (R.K.), Lippitt (R.), " An experimental study of leadership and group life ", *in* : G. Swanson, Th. Newcombe & E. Hartley, *Reading in social psychology*, New York, Holt, 1952.

parvenus à organiser le travail, ils se sont souvent battus, et sont globalement insatisfaits.

En face de cette expérience, on se gardera de tirer des conclusions trop hâtives. Il ne faut pas perdre de vue qu'un groupe d'enfants en classe de loisirs se distingue par exemple assez radicalement d'un groupe d'adultes en situation de travail. Les objectifs déclarés, les formes relationnelles, les formes de récompense, etc., ne sont pas de même nature. En réalité, les résultats de cette expérience ne se vérifient qu'à certaines conditions. Il faut par exemple que la tâche à accomplir soit clairement identifiée par tous les membres du groupe, ce qui n'est pas forcément toujours le cas. Il faut également que la finalité du travail soit approuvée par tous. Il faut encore que le produit de cette coopération ne pose pas de problème de répartition. Ces quelques remarques montrent à quel point il serait risqué de transposer sans précautions à d'autres types de groupes, les enseignements de cette expérience.

Par ailleurs, il s'agissait d'enfants américains, vivant dans une ville particulière, à une époque donnée. Il n'est pas dit que des enfants d'une autre culture réagiraient de la même manière.

Des réseaux de communication

Une des premières études expérimentales, portant sur la communication au sein des groupes restreints, a été réalisée par Alex Bavelas[1], dans les années 1950. L'idée de départ est que les informations suivent certains canaux à l'intérieur des groupes, et que ces informations n'atteignent pas, ni au même moment, ni avec la même facilité, tous les membres d'un groupe donné.

L'expérience porte sur cinq personnes qui sont chargées de résoudre en commun, un certain nombre de problèmes qu'on leur soumet. Par exemple, on distribue à ces cinq personnes des cartes à jouer, et on leur demande de sélectionner, sur l'ensemble des cartes distribuées, les dix cartes les plus fortes. Ces personnes doivent donc se concerter, mais elles sont chacune isolées dans des boxes, et ne peuvent communiquer avec leur voisin de cellule, que par le biais de messages écrits. Parmi les nombreuses formes de réseaux relevées, les trois principales étaient les suivantes. On voit tout de suite que pour chaque cas de figure, les possibilités de concertation sont très différentes.

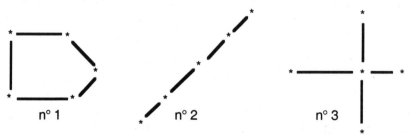

n° 1   n° 2   n° 3

[1] Bavelas (A.), " Réseaux de communication au sein de groupes placés dans des conditions expérimentales de travail " *in* : *Les Sciences de la politique aux États-Unis*, Paris, A. Colin, 1951, pp. 185-198. Voir également Flament (Cl.), *Réseaux de communications et structures de groupes*, Paris, Dunod, 1965.

Dans la disposition circulaire (n°1), chaque participant (symbolisé par ∗) peut communiquer avec son voisin de droite et avec son voisin de gauche. Pour joindre les deux autres personnes, son message doit être relayé par ses voisins immédiats. Dans ce dispositif, chaque participant occupe une position identique.

Lorsque les cellules sont en ligne droite (n°2), la personne qui se trouve au milieu, est beaucoup plus avantagée que les autres. Elle peut communiquer directement avec ses deux voisins, et elle peut atteindre les deux autres avec un seul relais. Les participants placés aux extrémités sont dans la situation la plus défavorable.

Dans un dispositif en forme de croix (n°3), la personne qui se trouve au centre, peut communiquer directement avec toutes les autres, alors que ces dernières n'ont qu'un seul interlocuteur direct. On notera qu'à certains égards, ce dispositif ressemble un peu aux organigrammes de type traditionnel.

Les études expérimentales menées dans ces différents cadres, montrent tout d'abord qu'une organisation stable et centralisée apparaît très vite dans le dispositif en croix, moins vite dans la chaîne, et encore moins rapidement dans la disposition circulaire où toutes les positions sont équivalentes. En face d'un problème donné, la personne placée au centre du dispositif en croix devient rapidement le *leader* du groupe. Dans les autres configurations, le choix du meneur se définit moins immédiatement.

En matière d'efficacité, c'est le dispositif cruciforme qui est le plus performant. Les solutions sont les plus rapidement trouvées, et avec moins d'erreurs que dans les autres configurations. Autrement dit, plus le groupe est centralisé, plus il est efficace. Évidemment, cette notion d'efficacité est à la mesure des exercices simples qui sont proposés dans cette expérience. S'il s'était agi de résoudre des problèmes complexes, ou bien des problèmes réclamant de l'inventivité, c'est probablement le dispositif circulaire qui se serait révélé le plus efficace.

En tous cas, c'est dans le groupe circulaire que les participants sont les plus nombreux à être satisfaits. A l'opposé, dans le groupe cruciforme, seul le meneur est satisfait, tandis que les autres participants trouvent l'expérience inintéressante et deviennent rapidement apathiques et mécontents. En d'autres termes, l'intérêt et la satisfaction des participants, varient en raison inverse du degré de centralisation.

En face de ce type de modélisation, il faut encore une fois se garder de généraliser. Il s'agit de schémas de laboratoire extrêmement réducteurs dont le but n'est pas de rendre compte de la réalité, mais au contraire de la simplifier au maximum pour en révéler certaines dimensions. Dans le cas présent, on voit par exemple que ces structures simplifiées de communication influent simultanément sur le rendement et sur les attitudes psychologiques des participants. Ce simple constat invite donc à réfléchir à des structures de coopération qui permettent de concilier l'efficacité et la satisfaction, car à plus ou moins long terme, on sait que le degré d'insatisfaction rejaillit immanquablement sur l'efficacité.

Ce problème se pose d'une manière particulièrement aiguë dans les « organisations », où les réseaux de coopération sont par définition beaucoup plus étendus que dans le type de groupe dont il a été question jusqu'ici.

LES ORGANISATIONS

Charles Horton Cooley a proposé la notion de **groupe secondaire** pour désigner d'un terme générique l'ensemble des groupes qui ne sont pas primaires. Par contraste avec le groupe primaire, le groupe secondaire se caractérise par sa dimension et par les rapports sociaux spécifiques qu'implique cette dimension. Tandis qu'au sein des groupes primaires les individus se trouvent dans une situation d'interrelation directe — Cooley parle de *« face to face groups »* — les groupes secondaires sont des entités dont le nombre de membres est trop important pour permettre aux individus de se rencontrer et d'interagir directement.

Pour prendre deux exemples extrêmes, une petite entreprise composée d'un patron et de trois ou quatre employés constitue un groupe primaire. Chaque membre du groupe est en relation directe avec les autres. On peut parler d'une coopération « face à face ». Dans une grande entreprise nationale ou multinationale en revanche, les centaines voire les milliers de salariés et d'actionnaires qui forment ce groupe, n'ont aucune chance d'être en contact direct. Ainsi, lorsque les unités sociales s'agrandissent, de nouvelles formes de liens apparaissent. Les membres du groupe ne se voient plus, d'autres réseaux relationnels s'instaurent. Au sein des grands groupes, ces relations médiates fondent ce qu'on appelle une organisation.

Même lorsqu'elles sont très étendues ou géographiquement dispersées, les organisations constituent généralement des entités sociales parfaitement identifiables. Elles se rencontrent dans tous les champs de la vie collective. Un parti politique, un grand groupe industriel, un hôpital, une administration publique, une association internationale, une université, un groupe bancaire, etc., sont autant d'organisations.

Ces organisations sont évidement très différentes, notamment par leur taille. Une école maternelle compte moins de membres qu'un corps d'armée. Par ailleurs, si un sociologue mène une recherche particulière sur la vie quotidienne d'un établissement hospitalier, l'un de ses collègues peut très bien étudier l'organisation complète du système de santé. Dans tous les cas cependant, on voit bien qu'il ne s'agit pas là de groupes élémentaires, même si chacune de ces organisations abrite évidemment un grand nombre de petites entités sociales.

On remarquera ensuite que les membres d'une organisation coopèrent à la réalisation de certains buts déclarés. Toute organisation fonde à la fois son existence et sa légitimité sur la définition d'une certaine finalité. Que cette finalité s'exprime en termes de politique, de stratégie, de mission ou d'objectif, la collaboration des membres d'une organisation s'ordonne toujours en fonction de buts explicites.

On notera enfin que cette coopération se réalise selon certaines règles d'actions précises. Au sein de ces structures d'activité que sont les organisations, l'action de chaque individu s'inscrit en effet dans un cadre ordonné et rationnel, dans une structure hiérarchisée plus ou moins complexe, qui doit permettre d'articuler et de coordonner l'ensemble des énergies du groupe. Ce cadre formel revêt souvent un caractère institutionnel.

On se gardera cependant de confondre organisation et **institution**. D'une part, toutes les organisations ne sont pas des institutions. S'il est admis que l'Éducation nationale est une institution, aucune compagnie pétrolière par exemple, n'a jusqu'à présent été considérée comme telle. D'autre part, toutes les institutions ne sont pas des organisations. Les institutions du mariage, de la famille ou du crédit par exemple, sont des formes sociales qui ne correspondent manifestement pas à la définition sociologique du terme d'organisation.

Les organisations, on l'a dit, sont des groupements concrets et visibles. Elles se présentent généralement comme des entités sociales aisément identifiables, grâce notamment aux symboles et aux « décors » de toutes sortes qui viennent renforcer leur visibilité : emblèmes, logotypes, styles vestimentaire, architectural, etc.

Les institutions sont de nature différente. On peut dire qu'elles sont à la fois visibles et invisibles. Par exemple, l'institution scolaire, le Sénat, Radio-France, la régie Renault, les collections Gallimard, sont des organisations prestigieuses qui ont acquis, chacune à leur manière, le rang d'institution. En tant qu'organisations, ces entités ont une existence concrète. Elles sont composées d'un certain nombre d'individus, elles sont douées de cadres juridiques et réglementaires, elles offrent à voir des biens immobiliers, des domaines fonciers, etc. Mais leur présence dans la société ne se limite pas à ce substrat matériel, à ce dispositif juridico-technique.

Ce qui explique que ces organisations sont également considérées comme des institutions, c'est qu'elles occupent une place particulière dans le champ des représentations collectives. Au-delà de leur réalité spatiale, ce sont aussi des entités abstraites, des objets imaginaires qui s'imposent à un grand nombre d'individus, comme des pôles de référence.

Les grandes institutions que sont par exemple, l'école, le mariage, la justice, ou l'héritage, ont une existence à la fois physique et abstraite. Le langage courant se contente habituellement d'en désigner la partie visible : l'enceinte de l'école et ses occupants, la cérémonie de mariage, le palais de justice, etc. Mais ces institutions sont surtout « invisibles ». Elles sont présentes bien au-delà de leurs limites concrètes. Elles engagent la société tout entière, et sont actives dans l'imaginaire des individus, même si ces derniers ne sont pas en contact direct avec les structures visibles de ces institutions. Les institutions sont donc aussi des réalités profondément intériorisées par les individus.

Instituer au sens fort signifie : fonder, créer, instaurer. En principe, une institution est une instance qui donne commencement, qui établit en profondeur, qui forme. Cette action radicale s'inscrit donc nécessairement dans la durée, et suppose une certaine continuité. Si aucune institution n'est éternelle, une institution éphémère est difficilement concevable. Certaines s'épuisent ou disparaissent tandis que d'autres se dessinent, mais dans tous les cas, ces transformations s'accomplissent toujours sur un temps relativement long.

En résumé, on dira que les institutions se caractérisent à la fois par une certaine ancienneté et par le fait qu'on leur reconnaît une force instauratrice particulière. En prenant en charge de manière durable la formation et la reproduction de certaines normes et de certains usages, elles contribuent nommément à forger « le style » de la vie sociale. En regard de cette empreinte de l'institution, au vu de ce rôle instaurateur et régulateur qu'elle joue auprès de collectivités humaines importantes, il est clair que l'organisation fait preuve quant à elle de visées beaucoup plus modestes.

En ce qui concerne la **dynamique interne des organisations**, l'une des différences notables qui distingue les grands groupes sociaux des groupes élémentaires, concerne le degré d'interdépendance des individus qui les composent. Ce degré d'interdépendance est généralement plus faible dans les organisations que dans les petits groupes. En d'autres termes, les membres des organisations jouissent à certains égards, d'une marge de liberté plus importante. Une marge qu'ils cherchent à défendre, voire à étendre.

Cette tendance des acteurs — individus ou groupes — à protéger leur **autonomie**, est au cœur de la dynamique des organisations. D'un côté, les organisations ont besoin d'obtenir de leurs membres le minimum de coopération nécessaire à leur survie. D'un autre côté, chacun de ces membres défend un minimum d'indépendance. Tandis que les organisations s'établissent autour d'un projet manifeste, orienté dans une direction précise, leurs membres défendent des intérêts, ou développent des objectifs qui ne sont pas nécessairement convergents.

Pour les organisations, le problème se pose donc de parvenir à convaincre. Elles peuvent le faire par la force, mais pour durer et obtenir un minimum d'efficacité, elles doivent aussi s'assurer d'un minimum de consensus. Aussi, les moyens utilisés ne se limitent-ils pas simplement à la coercition. Ils comprennent des stratégies de persuasion, de séduction, ou d'échange (récompense, rétribution, etc.). Le plus souvent, on assiste à un savant dosage de ces différents éléments. Un dosage qui correspond à la spécificité de chaque type d'organisation, et qui résulte d'un équilibre temporaire des rapports de forces. Pour autant, la coexistence de forces centripètes et de forces centrifuges ne disparaît pas.

Parallèlement à cette tension permanente, un deuxième phénomène intervient dans la dynamique interne des organisations. Le comportement de leurs membres n'est jamais totalement rationnel — y compris celui des membres dirigeants — par rapport aux objectifs de l'organisation. Alors qu'une organisation tend par définition à instaurer une **rationalité** qui permette la coopération la plus efficace de ses membres, chacun d'eux réagit avant tout en fonction de la vision nécessairement locale et partielle qui est la sienne. Il n'existe aucun organe de contrôle qui dicte en permanence à chacun, quelle doit être son action afin qu'elle coïncide dans l'instant, avec l'ensemble des autres. Ce problème est moins fortement ressenti dans un groupe élémentaire, où chacun des acteurs peut se faire une idée plus complète de l'ensemble des comportements du groupe.

Une organisation ne se réduit donc pas à un organigramme et à des règles de conduite. Une organisation n'est pas simplement le produit mécanique d'un ensemble de rouages parfaitement agencés les uns aux autres. Certes, il y a bien dans chaque organisation une dimension « construite » qui tend à régler le problème de la coopération autour de principes unificateurs. Mais il y a également des forces de dispersion internes qui viennent en permanence contredire cette ordonnance.

La bureaucratie est une des dimensions de l'organisation. Le mot est traditionnellement chargé d'une connotation péjorative. En tant que mode d'organisation, la bureaucratie est généralement associée à l'idée d'une administration lente, pointilleuse, compliquée, inutile, inefficace ou encore dangereuse ou paralysante. Cette représentation s'appuie sur des phénomènes incontestablement réels. Pour autant, il n'est pas certain que la bureaucratisation des organisations soit une fatalité irrémédiable.

Au début de ce siècle, de nombreux théoriciens ont estimé possible et souhaitable de rationaliser au maximum l'ensemble des processus sociaux. Depuis la révolution industrielle — qui s'était accompagnée d'une modification radicale des structures de production et d'administration — une évolution vers plus de rationalité s'est imposée progressivement en Occident, qui devait selon ces théoriciens s'étendre à tous les aspects de l'existence. C'est dans ce contexte que l'organisation bureaucratique est apparue — à Max Weber[1] notamment — comme le signe d'un progrès incontestable. Encore restait-il à définir précisément en quoi devait consister ce mode d'organisation.

Max Weber a donc spécifié les caractéristiques d'une forme d'organisation idéale qu'il nomme bureaucratie. Le mot même de bureaucratie n'est pas de cet auteur. Ce terme est apparu en France dans les années 1750, mais le « modèle » de bureaucratie qu'a forgé Max Weber est particulièrement détaillé, et permet encore aujourd'hui d'appréhender certaines spécificités des grandes organisations contemporaines.

Parmi les nombreux préceptes sur lesquels se fonde cet « idéal-type » de la bureaucratie, il faut citer au moins quatre principes de bases. Tout d'abord, la bureaucratie se définit par l'existence d'un corps de règles impersonnelles qui délimite précisément les sphères de compétence, et les droits et devoirs de chacun. Elle s'appuie ensuite sur une hiérarchie des fonctions qui crée des liens de subordination clairs. Par ailleurs, l'accès aux différents postes se fait exclusivement en fonction d'une qualification publiquement constatée (examens, concours, diplômes, titres…). Enfin, il doit y avoir une séparation complète entre la fonction et la personne qui l'occupe. Les fonctions de direction, en particulier, ne doivent plus être associées à la possession des moyens de production.

Dans l'esprit de Max Weber, ce modèle de bureaucratie devait permettre d'atteindre la meilleure efficacité par rapport aux buts fixés, tout en assurant la meilleure protection pour les individus. L'organisation bureaucratique devait être d'une efficacité supérieure à celle des autres formes d'organisation, dans la mesure où elle s'appuyait sur un fonctionnement régi par des règles mieux définies et plus objectives. Par ailleurs, la division de l'activité en domaines de

---

1   Weber (M.), 1922, *Économie et Société*, trad. fr. partielle, Paris, Plon, 1971.

compétence clairement délimités, les formes de recrutement et de promotion, la consignation par écrit de tous les actes administratifs, etc., devaient assurer à chaque individu une indépendance tant à l'égard de ses supérieurs hiérarchiques qu'à l'égard de ses subordonnés. En somme, ce système rationnel et performant présentait aussi l'avantage de protéger contre tout arbitraire.

La pertinence de ce modèle a notamment été remise en cause par Robert Merton et Michel Crozier. Dès les années 1930, le premier a souligné l'existence de « dysfonctions » imprévisibles, de « conséquences inattendues »[1], en insistant sur la nécessité d'enrichir l'analyse purement théorique des organisations, par des observations empiriques. L'analyse des dysfonctions et des « effets pervers » constatés au sein des organisations devait selon cet auteur permettre de « déterminer non seulement les bases de la stabilité sociale, mais aussi les sources du changement social »[2]. Bien que ce projet ambitieux n'ait pas véritablement abouti, l'attitude de Merton remettait radicalement en cause la confiance de Max Weber dans la possibilité d'une rationalisation des processus sociaux.

Michel Crozier[3] développera quant à lui une analyse de ce qu'il appelle le « cercle vicieux » bureaucratique. A la suite de Merton, il observe que des mécanismes bureaucratiques — conçus à l'origine dans un souci de meilleure gestion — entraînent chez les membres des organisations, des comportements qui vont bien souvent à l'encontre de l'efficacité recherchée. Mais il observe également que ces conséquences non prévues et « dysfonctionnelles », sont combattues par un renforcement des mécanismes bureaucratiques de départ, ce qui a pour effet de rigidifier encore plus l'organisation, en produisant ainsi un cercle vicieux.

Ainsi en va-t-il par exemple, des règles impersonnelles qui définissent en détail les rapports entre les agents. En même temps qu'elles constituent une protection contre l'arbitraire, elles limitent considérablement l'initiative individuelle et peuvent conduire à une déresponsabilisation par rapport aux objectifs de l'organisation. Les conséquences de ce formalisme sont désormais connues. En face d'un phénomène inhabituel, ou en face d'une exception non répertoriée, l'agent n'est pas habilité à résoudre le problème, et n'est pas non plus censé transmettre une information qui sort de ses attributions. La mauvaise circulation des informations conduit à une mauvaise connaissance des problèmes qui rend à son tour difficile l'établissement par la hiérarchie de décisions adaptées. « Ceux qui décident ne connaissent pas directement les problèmes qu'ils ont à trancher ; ceux qui sont sur le terrain et connaissent ces problèmes n'ont pas les pouvoirs nécessaires pour effectuer les adaptations et expérimenter les innovations devenues indispensables »[4].

Loin d'être inéluctable à cause de son efficacité, la bureaucratie apparaît donc plutôt comme une forme de coopération correspondant à une certaine époque. Il ne faut pas perdre de vue que les organisations, comme les institutions, sont des

---

[1] Merton (R.K.), " The unanticipated consequences of purposive social action ", *American Sociological Review*, 1936, 1, n° 6.

[2] Merton (R. K.), 1949, *Éléments de théorie et de méthode sociologique*, trad. fr., Paris, Plon, 1953, 2e édition 1965, p. 91.

[3] Crozier (M.), *Le Phénomène bureaucratique*, Paris, Le Seuil, 1963, Coll. Points, 1971.

[4] *Ibid.*, 1971, p. 233.

formes sociales, des formes de vie et d'action collectives en perpétuelle transformation. Leur structure formelle en particulier (les règlements, les procédures, etc.), ne résulte pas simplement d'une réflexion rationnelle en vue d'articuler des buts et des moyens. Cette armature « institutionnelle » doit également être perçue comme une sorte de codification temporaire de rapports de force.

Chapitre 4

STRATIFICATION
ET CLASSES SOCIALES

Avec les idées de stratification et de classe sociale, on s'intéresse aux grands groupes qui structurent les sociétés et l'on suppose que ceux-ci ne sont pas simplement juxtaposés : il existe une hiérarchie sociale que fixe l'appartenance à telle ou telle catégorie. Précisément, le fait d'appartenir à telle catégorie est un phénomène durable et la mobilité entre catégories n'est pas une évidence.

L'idée de stratification apparaît déjà dans le règne végétal ; chez les insectes on observe des différentiations entre les ouvriers, les combattants et les reproducteurs. On parle de reine des abeilles. Chez les oiseaux, les « coups de bec » indiquent une certaine hiérarchie. Chez les singes, on constate le rôle des chefs.

Pour ce qui concerne le genre humain, toutes les situations ont été prétexte à stratification : différence de sexe, classes d'âge, force, propriété,... On constate souvent dans les sociétés dites traditionnelles le rôle joué par les anciens dont l'autorité est prépondérante ; c'est alors l'âge qui est essentiel dans la stratification et on a un pouvoir gérontocratique. Il y a des formes de stratification qui sont plus ou moins fermées. Les plus fermées sont celles qu'on appelle généralement castes et ordres.

CASTES ET ORDRES

Le système le plus fermé est celui des castes : en Inde, on appartenait à une caste par la naissance ; les mariages ne pouvaient se faire qu'à l'intérieur d'une même caste ; certains contacts physiques entre castes étaient interdits. Ainsi les castes apparaissaient-elles comme quelque chose d'immuable, et, en tout état de cause, il était rigoureusement impossible de changer de caste. Ce système fondé sur la distinction du pur et de l'impur a été juridiquement supprimé en 1949, mais il a encore des implications sociales importantes.

D'autre part, depuis les brahmanes (caste la plus haute) jusqu'aux intouchables (hors-caste) existe une hiérarchie minutieuse : les membres d'une caste ne peuvent manger la nourriture venant d'un membre d'une caste inférieure. Le nombre de castes et de sous-castes varie selon les endroits en Inde. En dessous des brahmanes (prêtres et professeurs), on distingue généralement les *kshatriyas* (guerriers et propriétaires) puis les *vaishyas* (commerçants et agriculteurs) et les *shudras* (serviteurs). Les castes élevées bénéficiaient de privilèges tandis que les hors-castes intouchables *(harijans* ou *parias)* avaient les fonctions les plus basses : tanneurs, balayeurs. Si, le plus souvent, ce système permettait aux membres des castes élevées de bien vivre tandis que les autres devaient se contenter de tâches subalternes, le critère d'appartenance de caste n'était pas celui de la fortune : on peut trouver des brahmanes pauvres et des membres de basses castes enrichis.

Le système des ordres est celui qui a fonctionné dans la France de l'Ancien Régime. L'ensemble de la population était répartie en trois ordres : le clergé, la noblesse et le tiers état. L'honneur, le prestige, les privilèges allaient aux deux premiers ordres qui constituaient pourtant une fraction numériquement très faible de la population. Le système était un peu moins fermé que celui des castes pour deux raisons. D'une part, des membres du tiers état pouvaient être anoblis et des nobles pouvaient êtres déchus. Ceci, cependant ne concernait qu'un petit nombre de gens.

Par ailleurs, dans la religion catholique, alors religion d'État, l'appartenance au clergé ne se fait pas par voie héréditaire. Certes, la plupart des postes de responsabilités ecclésiastiques étaient dévolus à des nobles (évêchés, abbayes) qui s'en acquittaient d'ailleurs plus ou moins bien, mais les curés des dizaines de milliers de paroisses de campagne étaient le plus souvent issus du peuple. Ainsi, le clergé, premier ordre du royaume, était-il marqué par des réalités sociales diverses.

Dans la société rurale traditionnelle, les paysans étaient soumis au pouvoir du seigneur et du curé. S'ils ont parfois essayé de se révolter, leurs moyens étaient limités et on leur promettait l'enfer s'ils refusaient l'ordre établi. C'est une partie de la population des villes (bourgs) qui, s'étant enrichie, est devenue ce que l'on a appelé la bourgeoisie et a pris une place économique déterminante alors que son appartenance au tiers état la privait des droits essentiels. Ainsi la bourgeoisie s'est-elle révoltée contre les privilèges héréditaires.

Les sociétés des castes et des ordres sont des sociétés où la stratification sociale est présentée comme immuable, le plus souvent avec des justifications religieuses. De ce fait, il ne devrait pas y avoir de conflits entre les grands groupes sociaux concernés. Chacun devrait accepter la place qui est la sienne.

L'analyse contemporaine des sociétés fait intervenir d'autres facteurs notamment économiques qui révèlent les conflits existant entre groupes sociaux fondamentaux ou du moins les fonctions différentes remplies par ceux-ci et les changements possibles dans l'équilibre social. C'est ici qu'apparaît le concept de classe sociale.

CATÉGORIES SOCIO-PROFESSIONNELLES ET NIVEAUX DE FORMATION

Avant d'étudier les différentes conceptions des classes sociales qui se sont manifestées, on peut signaler que l'analyse de la stratification sociale sur une base économique se fait essentiellement en France par l'intermédiaire des catégories socio-professionnelles définies par l'Institut National de la Statistique et des Études Économiques (INSEE). Cette nomenclature a été actualisée en 1982 et baptisée « PCS » : professions et catégories socio-professionnelles. Elle comprend huit postes eux-mêmes subdivisés, correspondant au « niveau de publication courante » en 24 postes, et un niveau détaillé en 42 postes (voir tableau ci-après).

La base économique se conjuguant souvent avec un niveau de formation, on peut faire des distinctions dans l'étude des populations en se référant à la nomenclature des 6 niveaux de formation : le niveau VI correspond à une sortie du système scolaire lors du premier cycle du second degré (6e, 5e, 4e) ; le niveau V correspond aux CAP (certificats d'aptitude professionnelle), BEP (brevet d'études professionnelles) et à un abandon de scolarité avant la terminale ; le niveau IV correspond au baccalauréat et au brevet de technicien ; le niveau III concerne les titulaires d'un diplôme classé bac+2 (DEUG, DUT, BTS,...) ; le niveau II correspond au second cycle universitaire (licence et maîtrise) ; le niveau I (récemment distingué du niveau II) exige un niveau de formation supérieur à la maîtrise.

CONCEPTIONS DES CLASSES SOCIALES

La stratification sociale peut être analysée à partir de la notion de classe sociale. Cette notion a fait l'objet de nombreuses conceptions.

S'il n'est pas l'inventeur du concept de classe sociale, Marx (1818-1883) n'en est pas moins celui qui en a montré l'importance. En effet, pour lui, la lutte permanente des opprimés et des oppresseurs prend dans l'histoire des formes diverses en fonction de l'état du développement de la production.

TABLEAU II

La nomenclature des PCS

Niveau agrégé 8 postes dont 6 pour les actifs occupés.	Niveau de publication courante 24 postes dont 19 pour les actifs.	Niveau détaillé 42 postes dont 32 pour les actifs.
1. agriculteurs exploitants	10. agriculteurs exploitants	11. agriculteurs sur petite exploitation
		12. agriculteurs sur moyenne exploitation
		13. agriculteurs sur grande exploitation
2. artisans, commerçants, et chefs d'entreprise	21. artisans	21. artisans
	22. commerçants et assimilés	22. commerçants et assimilés
	23. chefs d'entreprise de 10 salariés ou plus	23. chefs d'entreprise de 10 salariés ou plus
3. cadres et professions intellectuelles supérieures	31. professions libérales	31. professions libérales
	32. cadres de la fonction publique, professions intellectuelles et artistiques	33. cadres de la fonction publique
		34. professeurs, professions scientifiques
		35. professions de l'information, des arts et des spectacles
	36. cadres d'entreprise	37. cadres administratifs et commerciaux d'entreprise
		38. Ingénieurs et cadres techniques d'entreprise
4. professions intermédiaires	41. professions intermédiaires de l'enseignement, de la santé, de la fonction publique et assimilés	42. instituteurs et assimilés
		43. professions intermédiaires de la santé et du travail social
		44. clergé, religieux
		45. professions intermédiaires administratives de la fonction publique
	46. professions intermédiaires administratives et commerciales des entreprises	46. professions intermédiaires administratives et commerciales des entreprises
	47. techniciens	47. techniciens
	48. contremaîtres, agents de maîtrise	48. contremaîtres, agents de maîtrise

5. employés	51. employés de la fonction publique	52. employés civils et agents de service de la fonction publique
		53. policiers et militaires
	54. employés administratifs d'entreprise	54. employés administratifs d'entreprise
	55. employés de commerce	55. employés de commerce
	56. personnels des services directs aux particuliers	56. personnels des services directs aux particuliers
6. ouvriers	61. ouvriers qualifiés	62. ouvriers qualifiés de type industriel
		63. ouvriers qualifiés de type artisanal
		64. chauffeurs
		65. ouvriers qualifiés de la manutention, du magasinage et du transport
	66. ouvriers non qualifiés	67. ouvriers non qualifiés de type industriel
		68. ouviers non qualifiés de type artisanal
	69. ouviers agricoles	69. ouviers agricoles
7. retraités	71. anciens agriculteurs exploitants	71. anciens agriculteurs exploitants
	72. anciens artisans, commerçants, chefs d'entreprise	72. anciens artisans, commerçants, chefs d'entreprise
	73. anciens cadres et professions intermédiaires	74. anciens cadres
		75. anciennes professions intermédiaires
	76. anciens employés et ouvriers	77. anciens employés
		78. anciens ouvriers
8. autres personnes sans activité professionnelle	81. chômeurs n'ayant jamais travaillé	81. chômeurs n'ayant jamais travaillé
	82. inactifs divers (autres que retraités)	83. militaires du contingent
		84. élèves, étudiants
		85. personnes diverses sans activité professionnelle de moins de 60 ans (sauf retraités)
		86. personnes diverses sans activité professionnelle de 60 ans et plus (sauf retraités)

Source : *Données sociales*, INSEE, 5e éd., 1984, p. 539.

Ainsi dans l'Antiquité, il s'agissait de l'opposition entre les hommes libres et les esclaves, entre les patriciens et plébéiens ; au Moyen Age, barons et serfs, maîtres et compagnons étaient face à face[1]. C'est toujours la guerre ou la révolution qui amènent à une nouvelle opposition de classes. Pour Marx, le XIXe siècle dans lequel il vit est principalement marqué par la lutte entre la bourgeoisie (qui possède les moyens de production) et le prolétariat (qui n'a que sa force de travail à vendre).

Ceci ne signifie pas qu'il y ait seulement deux classes dans une société, mais le fait qu'il y a toujours une opposition fondamentale entre deux classes principales et que c'est par la résolution de cette contradiction que l'on passe d'un mode de production à un autre.

Marx parle également de la classe des propriétaires fonciers, de la noblesse féodale (survivance du mode de production précédent), de la petite-bourgeoisie (qui se développera particulièrement au XXe siècle), des ouvriers agricoles et du sous-prolétariat (ou *lumpenproletariat* dont les sans-domicile-fixe de notre époque sont une illustration).

La division en classes, chez Marx, d'abord définie à partir d'un critère économique, n'est pas seulement fondée sur le niveau de revenu ou sur les professions. Chaque classe implique des modes de vie, de culture différenciés. Marx distingue la classe « en soi » qui correspond au fait d'appartenir objectivement à une classe sociale, et la classe « pour soi » qui est le fait de revendiquer une appartenance de classe et de défendre les intérêts de cette classe.

En devenant une classe pour soi, selon Marx, le prolétariat mettra fin à la lutte des classes en se constituant en parti (le parti communiste) qui sera capable de mener à bien le renversement révolutionnaire de la bourgeoisie. Pour cela, il faudra passer par une phase intermédiaire, le socialisme, dans laquelle le prolétariat, ayant détruit l'État bourgeois, transforme la propriété privée des moyens de production en propriété publique. Cette phase est appelée dictature du prolétariat. L'État socialiste fait disparaître progressivement les oppositions de classes et doit disparaître également. L'État dépérit et s'éteint lorsque la phase finale du communisme est atteinte. Il n'y a alors plus aucune opposition de classes.

Max Weber (1864-1920) fonde son analyse des classes sociales sur l'idée de « situation de classe » : le terme de classe fait référence à tout ensemble d'individus qui se trouvent dans la même situation de classe. Les classes ne sont pas des communautés ; elle sont seulement le fondement possible et fréquent d'actions communautaires.

Dans la société, il y a plusieurs sortes de hiérarchies qui correspondent aux trois ordres économique, social et politique. L'ordre économique détermine les classes, le social confère le prestige et le politique s'incarne dans les partis. Chacune de ces hiérarchies a une certaine autonomie par rapport aux autres. Ainsi on peut trouver des nouveaux riches qui auront peu de prestige au contraire de nobles ruinés. Les chefs de partis bourgeois sont rarement eux-mêmes des grands bourgeois.

---

[1] cf. chapitre 1, citation du *Manifeste communiste*.

On peut parler de classe quand un certain nombre d'individus ont en commun une chance typique d'accès ou de non-accès aux biens, à certaines conditions de vie matérielles et à un certain mode de vie personnel. Cette chance est déterminée par l'importance et le type de pouvoir (ou l'absence de pouvoir) permettant de disposer de biens ou d'un certain revenu, dans un ordre économique donné.

C'est donc à travers un critère économique, la possession de biens et la possibilité d'obtention de revenus, et à partir d'une situation se manifestant sur le marché des biens et sur celui du travail, que Max Weber définit les classes sociales : la propriété et la non-propriété sont pour lui les catégories fondamentales de toutes les situations de classes.

Cela implique, pour Max Weber, de relativiser l'idée de lutte de classe. Si les classes ne sont pas des communautés agissant consciemment pour leur intérêt, cela implique que les antagonismes de classes, conditionnés par la situation de marché, ne se situent pas nécessairement entre les classes les plus antagonistes. Ainsi, Max Weber fait remarquer que dans les luttes ouvrières ce n'est pas toujours l'actionnaire, le banquier ou le rentier qui sont attaqués, mais le chef d'entreprise, l'industriel qui n'est pas nécessairement propriétaire de celle-ci (on pourrait ajouter les « petits chefs »). Or, les bénéfices, le plus souvent non gagnés par le travail se retrouvent surtout dans les caisses de l'actionnaire, du banquier ou du rentier.

Maurice Halbwachs (1877-1945), disciple de Durkheim tente d'analyser *La Classe ouvrière et les Niveaux de vie* (1912), *La Morphologie sociale* (1934) et cherche à esquisser une psychologie des classes sociales. La notion de classe découle de celle de hiérarchie et la conscience de classe est le critère essentiel. Cette conscience est collective et correspond à une mémoire collective. La position d'une classe sociale dépend à la fois de l'opinion qu'elle a d'elle-même et de l'opinion que les autres ont sur elle.

Halbwachs définit deux critères essentiels pour analyser les classes sociales : « une classe occupera un niveau d'autant plus élevé que ses membres participeront davantage à la vie collective, telle qu'elle est organisée dans leur société » (*La Classe ouvrière et les Niveaux de vie*, p. V). Halbwachs utilise le concept de « distance sociale ». Les classes inférieures sont dans cette situation parce qu'elle sont éloignées des responsabilités centrales de la société.

Le deuxième critère concerne les besoins. Leur niveau diffère selon les classes sociales. Halbwachs analyse les habitudes de consommation et constate que les besoins d'une classe sont différents de ceux d'une autre classe sans critère d'objectivité : « S'il y a dans la société des classes, il faut s'attendre à ce que, dans chacune d'elles, les divers besoins ne soient ni aussi pleinement satisfaits, ni hiérarchisés de la même manière » (*ibid.*, p. VII). « Comment comprendre l'ordre et l'espèce des dépenses des ouvriers par rapport à celle des autres classes, si l'on ne sait comment leur nature physique et morale a été affectée, comment leur faculté d'apprécier les divers biens sociaux a été influencée par les conditions de travail ? L'examen de la fonction des ouvriers est l'introduction nécessaire à la mesure de leurs besoins » (*ibid.*, p. IX). Il va de soi qu'on pourrait appliquer cette réflexion à d'autres classes sociales et montrer comment les besoins sont conditionnés dans chaque situation.

Georges Gurvitch (1897-1965) définit la classe sociale comme un type particulier de groupement social : « Six caractères nous paraissent cardinaux pour différencier les classes sociales des autres groupements particuliers. Ce sont la supra-fonctionnalité des classes, leur incompatibilité radicale entre elles, leur caractère normalement réfractaire à la pénétration par la société globale, leur tendance vers la structuration intense, enfin leur caractère de groupement de fait et à distance » (*Vocation actuelle de la sociologie*, 1950, 2e éd., p. 384).

Les classes sociales sont, pour Gurvitch des groupements de fait et non des groupements imposés ou volontaires. Ce sont des groupements à distance en ce sens que leurs membres ne sont pas rassemblés dans un même lieu mais sont au contraire disséminés dans toute la société. Leur supra-fonctionnalité signifie que chaque classe a des fonctions multiples, est « tout un monde et voudrait se définir comme le monde unique ». Leur incompatibilité entre elles est une cause de la lutte des classes. Leur résistance à la pénétration par la société globale assure leur permanence de même que leur tendance à se structurer. Les classes sont structurées mais ne sont pas organisées. Contrairement à Marx qui pensait organiser le prolétariat dans un parti politique unique, Gurvitch considère qu'aucune classe ne peut s'exprimer dans une organisation unique.

ÉVOLUTIONS DE LA STRATIFICATION SOCIALE

Au-delà des théories sur les classes sociales on peut s'interroger sur les critères de stratification sociale qui permettent de distinguer dans les sociétés des couches ou classes supérieures, des couches ou classes moyennes et des couches ou classes inférieures. Ce qui distingue essentiellement ces couches, ce sont des systèmes de gratification et de privilèges inégalement répartis dans la société.

Les gratifications les plus évidentes sont les gratifications matérielles, qu'elles soient en espèces (revenus de toutes sortes) ou en nature (voiture, chauffeur, maisons). Mais il y a également des gratifications en termes de pouvoir : pouvoir économique, pouvoir politique, pouvoir syndical,... Les gratifications psychlogiques sont liées au prestige social accordé à telle situation, mais aussi aux conditions de travail (pénibilité, sécurité de l'emploi, indépendance, créativité,...)

Les couches supérieures des classes supérieures sont évidemment caractérisées par un haut niveau de gratification dans tous les domaines. Mais on peut remarquer que certaines couches ont un grand prestige mais aucun pouvoir, d'autres sont fortement rémunérées mais n'ont pas de prestige, des gratifications psychologiques comme l'autonomie dans le travail ne sont pas liées à l'exercice du pouvoir.

Dans les sociétés occidentales, on distingue généralement en mêlant les critères des professions et catégories socio-professionnelles, et le niveau de formation, quatre catégories : 1- travailleurs sans qualification, 2- travailleurs manuels qualifiés et employés, 3- employés techniciens et cadres non universitaires, 4- cadres de niveau universitaire.

Dans les débuts de l'industrialisation, la structure sociale est pyramidale avec un grand nombre de gens de catégorie 1 (pauvres) et peu de catégorie 4 (aisés). Les emplois non qualifiés sont les plus nombreux et plus on s'élève dans la hiérarchie moins il y a de monde :

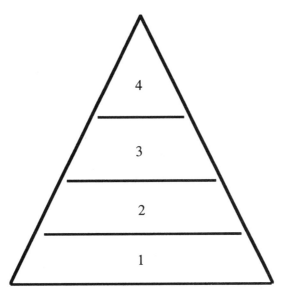

L'évolution de la société industrielle, les nécessités d'avoir une main-d'œuvre qualifiée, une meilleure répartition des revenus a conduit à une diminution des catégories 1(inférieure) et 4 (supérieure) au profit des couches moyennes. On a alors une structure en ovale :

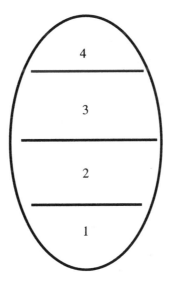

Dans un troisième temps, où l'on assiste à une certaine forme de désindustrialisation et à la montée du secteur tertiaire, les niveaux les moins qualifiés disparaissent pratiquement alors que les niveaux les plus qualifiés se développent énormément : l'augmentation du nombre des étudiants d'une part, et le remplacement des emplois non qualifiés par des automates sont des exemples de cette situation. On a alors une structure dite en forme de montgolfière :

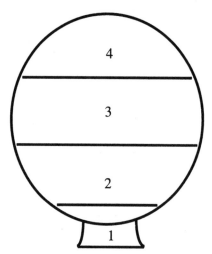

En fait, ce système repose sur le développement des couches moyennes mais il ne parvient pas à intégrer la totalité des membres de la société d'où l'existence d'une catégorie de sous-prolétaires complètement exclus.

Le développement des classes moyennes est un phénomène caractéristique des sociétés développées. Dans les sociétés traditionnelles ou du Tiers-Monde on constate souvent une structure pyramidale telle qu'évoquée ci-dessus : peu des riches mais très riches et un grand nombre de pauvres.

Les couches moyennes traditionnelles (ou petite-bourgeoisie selon Marx) ont longtemps été constituées des commerçants, artisans, paysans aisés, petits indus-triels, plus les fonctionnaires moyens et une partie des professions libérales. On peut noter qu'alors une faible partie était salariée.

Au contraire, les couches moyennes d'aujourd'hui sont surtout formées de salariés, notamment du secteur tertiaire (le secteur des services, par opposition au secteur primaire de l'agriculture et au secteur secondaire qu'est l'industrie).

Le système ne conduit pas toutefois à une inversion complète de la pyramide où « tout le monde » deviendrait très riche. L'évolution laisse sur le pavé (au sens strict du terme) une certaine catégorie de personnes marginalisées, et on a pu parler de société duale : ceux qui réussissent et qui entrent dans le schéma qu'on a évoqué, d'un côté, et ceux qui en sont exclus, de l'autre.

Le développement du nombre des sans domicile fixe y compris dans les sociétés les plus développées, le fait qu'un grand nombre de gens se situent au dessous du seuil de pauvreté, la création du revenu minimum d'insertion (RMI) pour faire face à cette situation sont autant d'indices des contradictions des sociétés développées.

L'isolement social, l'existence de l'analphabétisme au sein des sociétés dévelop-pées, l'alcoolisme et les autres drogues, l'exclusion du système scolaire, tel problème de santé ou handicap non résolus conduisent souvent à la marginali-sation.

Les zones de pauvreté dans les sociétés développées tendent à devenir irréductibles lorsque les choix politiques de rationalisation de l'appareil productif (licenciements), de restructuration des finances publiques (limitation des dépenses) et de la sécurité sociale (limitation des prestations) laissent de côté toute une partie de la population.

Cette situation a amené certains à s'interroger sur la possible apparition d'un nouveau modèle. À la société en montgolfière qui induisait une ascension sociale généralisée aurait succédé une société où le nombre de riches a certes augmenté mais aussi le nombre de pauvres, le tout au détriment des classes moyennes.
Ce modèle est celui de la société en sablier, selon le titre d'un ouvrage de l'économiste Alain Lipietz (Ed. La Découverte, 1996) :

Ce modèle en sablier implique non seulement une polarisation des revenus en haut de l'échelle, mais le risque d'un mouvement vers le bas pour le plus grand nombre. On sait, en effet que dans un sablier, les grains de sable tombent évidemment de haut en bas et que ce sont les grains qui se trouvent juste au-dessus du col du sablier qui tombent en premier.

La part des salaires diminue dans l'ensemble des revenus au profit des revenus du capital. La hiérarchie des salaires se creuse. Dès lors, on comprend le sentiment d'insécurité et la déchirure sociale qui marquent les sociétés développées de la fin du deuxième millénaire et du début du troisième. Précarisation et inégalités semblent dominantes.

L'avenir dira si ce modèle est inéluctable. La remise en cause des politiques sociales dans certains pays, la course à la compétitivité au détriment des salaires sont des indicateurs qui peuvent conduire à un certain pessimisme. Cependant, des mesures comme le Revenu Minimum d'Insertion ou la Couverture Médicale Universelle permettent de limiter les effets de la société en sablier.

Chapitre 5

MOBILITÉ SOCIALE

Dans une société où la mobilité sociale serait nulle, les enfants, une fois devenus adultes, occuperaient exactement les mêmes positions sociales que leurs parents. D'une génération à l'autre, tout se reproduirait à l'identique. La structure et les hiérarchies sociales resteraient inchangées. Chaque individu serait assuré d'appartenir à vie, à un groupe social déterminé.

Si cette fiction rappelle, à certains égards, le système figé et héréditaire des castes tel qu'il existait dans l'Inde ancienne, elle montre *a contrario* que la plupart des sociétés contemporaines admettent une certaine mobilité sociale. En France, les fils n'exercent pas systématiquement le même métier que leur père, et ils n'occupent pas nécessairement la même position sociale.

Lorsqu'on étudie la mobilité sous cet angle, on s'intéresse en fait à la **mobilité intergénérationnelle**, c'est-à-dire à une mobilité repérable entre les générations. On compare la position sociale des individus à la position sociale de leurs parents.

La mobilité intergénérationnelle retient tout particulièrement l'attention des sociologues, car elle permet d'éclairer l'évolution des structures sociales. Elle définit la façon dont une société reproduit ses hiérarchies. Mais on peut aussi s'intéresser à la **mobilité intragénérationnelle**. Dans ce cas, on étudie les changements de position sociale des individus au cours de leur vie active.

MESURE DE LA MOBILITÉ INTERGÉNÉRATIONNELLE

A intervalles réguliers, l'INSEE réalise une enquête intitulée Formation Qualification Profession (FQP), où la mobilité sociale est appréhendée par comparaison de la profession des fils avec celle de leur père. Plus précisément, c'est la situation professionnelle des Français de sexe masculin âgés de 40 à 59 ans, qui est comparée à celle de leur père. La profession du père est ici considérée comme un indicateur de l'origine sociale du fils.

On notera que la tranche d'âge choisie correspond à un moment de la vie où la trajectoire professionnelle commence à se ralentir. En sélectionnant des individus de moins de 40 ans, on risquerait d'effacer une trajectoire professionnelle potentielle. On fait donc le pari, qu'à partir de 40 ans, les hommes ont atteint une position sociale à peu près définitive.

En se fondant sur la nomenclature des PCS, on construit alors des tableaux que l'on appelle **tables de mobilité**. L'exemple suivant ne retient que quatre PCS, et exploite les résultats de 1985.

TABLEAU III

Destinée sociale en 1985 (en %)

PCSdu fils / PCSdu père	Cadre	Employé	Ouvrier	Agriculteur	AutresPCS	Ensemble
Cadre	60	6	3,5	0,5	30	100
Employé	23	14	22	0,5	40,5	100
Ouvrier	8	10	49	1,5	31,5	100
Agriculteur	5	7	34	34	20	100

La lecture de ce tableau se fait, en ligne, de la manière suivante : en 1985, pour 100 personnes dont le père était cadre ou membre d'une « profession intellectuelle supérieure », 60 sont cadres, 6 sont devenus employés, un peu plus de 3 sont ouvriers, et pratiquement aucun n'est agriculteur exploitant. Les 30 restants se répartissent entre les autres PCS. Pour information, ils se distribuent ainsi : 20,5 % des fils de cadre appartiennent, en 1985, à la catégorie des « professions intermédiaires », 6 % sont artisans ou commerçants, et 3,5 % sont chefs d'une entreprise de dix salariés ou plus.

Ce tableau apporte au moins trois informations intéressantes sur la mobilité sociale en France. En premier lieu, on peut constater une tendance assez générale à l'immobilité. Une lecture en diagonale — en partant du haut à gauche — de ce tableau, indique en effet des pourcentages élevés à chaque croisement des mêmes types de PCS : 60 % des fils de cadres sont devenus cadres ; dans la catégorie des ouvriers on note 49 % d'immobilité ; 34 % dans celle des agriculteurs. Le pourcentage d'immobilité correspondant à la catégorie des employés (14 %) est de ce point de vue le moins important.

En second lieu, si l'on pense à la hiérarchie sociale telle qu'on la présente traditionnellement, il apparaît que cette immobilité est particulièrement forte dans les catégories extrêmes : les catégories « supérieures » et « inférieures » sont moins mobiles que les catégories « intermédiaires ». A cet égard, dans la catégorie des fils d'employé, on peut observer que la proportion de ceux qui montent socialement en devenants cadres (23 %), est pratiquement équivalente à la proportion de ceux qui descendent (22 % deviennent ouvrier).

Lorsqu'on raisonne en ces termes, on s'intéresse à la **mobilité** dite **verticale**. Que le changement de position sociale se réalise dans le sens d'une ascension sociale (mobilité ascendante), ou à l'inverse dans le sens d'un recul (mobilité descendante), on parle dans les deux cas de mobilité verticale, par opposition à la mobilité dite horizontale. La **mobilité horizontale** correspond au passage d'une position à une autre, jugée équivalente.

Dans le cadre d'une étude globale de la mobilité sociale, on peut considérer par exemple — pour simplifier l'analyse — que le passage de la catégorie d'ouvrier qualifié à celle d'employé, correspond à une mobilité horizontale, même si cette mobilité n'est pas nécessairement ressentie comme telle par les personnes concernées. L'appréciation d'horizontalité ou de verticalité est relative, au degré de généralisation et au type d'approche que l'on adopte.

Enfin, la troisième information que nous livre ce tableau concerne les **trajectoires de mobilité**. Ces dernières sont courtes, en tout cas dans les catégories situées aux extrémités de la hiérarchie sociale. Les fils issus de la catégorie des cadres qui arrivent par exemple dans la catégorie des ouvriers, sont peu nombreux (3,5 %). De même, les fils d'ouvriers qui arrivent dans la catégorie des cadres, ne sont pas non plus très nombreux (8 %).

Si ce tableau renvoie une image fidèle de la mobilité sociale, on doit reconnaître qu'il existe donc une coupure très franche, entre les deux extrémités de la hiérarchie sociale : les individus qui naissent dans les catégories « supérieures » ont peu de chance de chuter dans les catégories « inférieures », et inversement les individus qui naissent dans les catégories « inférieures », n'atteignent qu'exceptionnellement des positions hiérarchiquement élevées.

A cet égard, on peut signaler que cette enquête a également été réalisée sur trois générations. On observe alors que le poids du passé familial remonte au-delà du père. Par exemple, les fils de cadres qui deviennent ouvriers, avaient souvent un grand-père paternel ouvrier. Pour être plus précis : le risque de se retrouver ouvrier pour un fils de cadre, passe de 2,7 % à 11 %, suivant que le grand-père, était lui-même cadre ou ouvrier. Autrement dit, si le grand-père était cadre, le fils de cadre n'a que 2,7 % de chance d'être ouvrier, alors que si le grand-père était ouvrier, le fils de cadre a 11 % de chance d'être ouvrier.

On peut également comparer les destinées à des dates différentes. Les derniers résultats disponibles datent de 1993. On pourra les mettre en regard de ceux de 1985 présentés précédemment :

TABLEAU IV

Destinée sociale en 1993 (en %)

PCSdu fils PCSdu père	Cadre	Employé	Ouvrier	Agriculteur	Autres PCS	Ensemble
Cadre	53,4	8,2	6,5	0,5	31,4	100
Employé	21,8	11,1	26,8	0,2	40,1	100
Ouvrier	8,2	10,3	48,4	1,2	31,9	100
Agriculteur	10,7	8,1	33,8	25,3	22,1	100

Dans les tableaux que nous venons de présenter, on part de l'origine sociale des individus pour analyser leur **destinée**, c'est-à-dire en l'occurrence ce qu'ils sont devenus sur le plan professionnel. Mais il est également possible de construire une autre table de mobilité, en s'interrogeant sur l'origine sociale des personnes qui occupent une position socioprofessionnelle donnée. On peut par exemple se demander quelle est l'origine sociale (c'est-à-dire la PCS du père) des agriculteurs âgés de 40 à 59 ans en 1985. Le tableau suivant répond à cette question.

TABLEAU V
Recrutement social en 1985 (en %)

PCS du fils PCS du père	Agriculteur	Cadre	Ouvrier
Agriculteur	89	7	22
Cadre	0,3	22	1
Ouvrier	6	17	50
Autres	4,7	54	27
Ensemble	100	100	100

Alors que la destinée se lisait en ligne dans le premier tableau, le **recrutement** se lit ici en colonne. Le recrutement précise la catégorie d'où proviennent les individus. Dans la table des destinées, on avait appris que 34 % des hommes âgés de 40 à 59 ans, fils d'agriculteurs, étaient devenus agriculteurs. Avec la table des recrutements, on apprend que 89 % des agriculteurs âgés de 40 à 59 ans sont fils d'agriculteurs.

Ce tableau se lit donc ainsi : sur 100 cadres en 1985, 22 sont fils de cadre, tandis que 17 ont un père ouvrier, et 7 un père agriculteur. Parmi les ouvriers, 50 % sont fils d'ouvrier, et 22 % ont une origine rurale avec un père agriculteur. Quant aux agriculteurs de 1985, près de 90 % sont fils d'agriculteur, tandis que 6 % ont un père ouvrier.

Finalement, le tableau concernant la destinée nous indique que tous les fils d'agriculteur ne deviennent pas, en 1985, agriculteurs, mais le tableau sur le recru,tement nous apprend qu'à la même époque, la quasi-totalité des agriculteurs sont fils d'exploitant agricole.

ANALYSE DE LA MOBILITÉ SOCIALE

Avant de signaler les limites de ce type d'étude, il faut d'abord se souvenir que ces chiffres résultent d'une « réduction » extrême. Si l'on considère par exemple la catégorie des cadres, on peut se souvenir que dans la nomenclature des PCS de niveau détaillé, cette catégorie compte six postes très distincts. La même remarque vaut évidemment pour les autres catégories qui ont été retenues ici. En recomposant nos tableaux avec une répartition un peu plus fine, il est probable que l'on observerait certaines nuances qui n'apparaissent pas ici.

Devant n'importe quel pourcentage, il faut toujours s'informer de l'échelle de regroupement qui a été choisie. A titre d'exemple, supposons que l'on ait regroupé les six postes actifs de la liste agrégée des PCS, en trois groupes que l'on aurait respectivement appelés classe dominante, classe moyenne, et classe populaire. Dans la première, auraient été rassemblés les cadres, les chefs d'entreprise et les agriculteurs sur grandes exploitations. Dans la seconde, les professions intermédiaires, les artisans, les employés. Et dans la troisième, les ouvriers et les petits agriculteurs. La table des destinées pour la classe moyenne, en se fondant sur les chiffres de 1985, se présenterait ainsi :

PCS du fils PCS du père	Classe dominante	Classe moyenne	Classe populaire	Total
Classe moyenne	25 %	52,2 %	22,8 %	100

Devant ce dernier tableau la personne qui tiendrait le raisonnement suivant : « les employés sont inclus dans la classe moyenne, donc les fils d'employés ont environ une chance sur deux (52,2 %) pour rester dans leur catégorie d'origine », ferait une grave erreur d'interprétation. Nous avons vu au contraire que seul 14 % des fils d'employé restent dans la catégorie des employés.

Au-delà, l'analyse de la mobilité à partir de ces tables, présente un certain nombre de limites méthodologiques. Trois limites doivent être signalées. Tout d'abord, l'INSEE s'appuie essentiellement sur des critères professionnels, pour apprécier la position sociale des individus. Ces enquêtes reposent finalement sur l'idée que c'est le métier qui « classe » les individus. Cela est sans doute vrai en partie, mais doit-on pour autant considérer que la mobilité sociale réelle se résume aux seuls changements de milieu socioprofessionnel ?

Ces tables de mobilité renforcent par ailleurs l'idée que tel fils d'artisan a déchu dans la hiérarchie sociale s'il est ouvrier, et que tel fils d'employé a grimpé dans l'échelle sociale s'il est ingénieur. Mais cela n'est qu'un point de vue. Il en existe d'autres. « Pourquoi accepter l'idée que ce soient des professions qu'en général nous n'avons pas choisies, et dont le contenu même nous est imposé, qui nous confèrent notre identité sociale ? Pourquoi la profession plutôt que nos caractéristiques particulières et personnelles, ou nos activités librement décidées, dans lesquelles nous nous extériorisons et nous nous reconnaissons, et à travers lesquelles nous aimerions être reconnus par les autres ? [...] On peut faire remarquer que l'identité non pas personnelle mais même sociale d'un ouvrier militant n'est pas la même que celle d'un ouvrier non militant. »[1]

Même si l'activité professionnelle est importante dans le prestige social, elle ne gouverne pas totalement l'ensemble des activités qui définissent une position sociale. D'une manière plus générale, l'obtention d'un diplôme, un mariage, l'exercice d'un nouveau rôle, la participation à de nouvelles activités,...etc., sont autant de signes d'une mobilité sociale, dont le statut professionnel ne rend pas nécessairement compte. La profession ne représente donc que très partiellement le statut social des individus.

La deuxième limite de ces chiffres, vient de ce qu'ils ne rendent compte que de l'activité professionnelle des hommes. Cette absence des femmes s'explique par des raisons à la fois historiques et techniques. Il y avait beaucoup de femmes sans profession dans les générations précédentes, il était donc techniquement difficile de les intégrer dans une nomenclature fondée sur les professions.

[1] Bertaux (D.), *Destins personnels et structure de classe*, Paris, Presses Universitaires de France, 1977, pp. 42-43.

Autrement dit, les chiffres actuellement disponibles sur ce qu'on appelle la mobilité sociale intergénérationnelle, ne concernent en réalité que la moitié masculine de la population, alors que le taux féminin d'activité professionnelle a considérablement augmenté. On notera également que si les femmes actives ne sont pas comptées, les personnes de sexe féminin ou masculin qui n'occupent pas d'emploi, ne le sont pas non plus.

D'autre part, les tables de mobilité fondées sur la profession du père et celle du fils partent du principe que les hommes sont toujours les chefs de famille. Cela n'est évidemment pas le cas dans le cadre des familles monoparentales dont la très grande majorité est constituée de femmes seules avec enfants (voir chapitre sur les familles). Dans les couples où les deux personnes travaillent, la seule prise en compte du travail du mari ne rend pas compte du niveau de vie réel du ménage. Il peut aussi y avoir des distorsions entre la catégorie professionnelle de l'un et de l'autre. Enfin, certaines études montrent qu'il existe souvent une complémentarité de l'héritage de l'activité professionnelle du père par les frères et une complémentarité de l'héritage professionnel de la mère par les sœurs. La lignée maternelle devrait donc faire l'objet de recherches plus attentives.

Le troisième inconvénient des tables de mobilité tient au côté statique de ces études. Elles sont censées rendre compte de la « mobilité » sociale, mais en réalité elles figent la réalité sociale dans « un temps immobile ». En comparant les professions des pères aux professions des fils comme s'il s'agissait des mêmes professions, ces études statistiques ne rendent pas perceptibles certaines évolutions, notamment celles concernant les statuts et les hiérarchies, entre les deux périodes.

Le prestige social associé aux métiers, change d'une génération à une autre. Rien ne garantit par exemple qu'un fils d'instituteur ait maintenu sa position en devenant lui-même instituteur. De la même façon, lorsqu'un fils de petit agriculteur est devenu agriculteur sur une exploitation moyenne, il n'est pas certain que son statut social soit supérieur au statut de son père. En l'espace d'une génération, la structure sociale et les hiérarchies se sont transformées.

Les tables de mobilité sont des instruments de mesure qui permettent d'observer certaines tendances, mais elles restent imprécises, voire muettes, sur de nombreux aspects de la réalité. Ces tables demeurent néanmoins indispensables pour une approche quantifiée du phénomène.

LES FACTEURS DE LA MOBILITÉ SOCIALE

Quels sont les facteurs de la mobilité, ou de l'immobilité sociale des individus ?

Pour répondre à cette interrogation, on peut spontanément évoquer la volonté et la valeur personnelle des individus qui gravissent ou non les degrés de l'échelle sociale, leur chance ou leur malchance, l'évolution des structures économique et sociale…, on peut aussi réfléchir au rôle d'une institution comme l'école.

Avant d'aborder ces différents éléments de réponse, voici deux récits de vie succincts qui relatent des parcours professionnels assez contrastés. Ces résumés sont issus de témoignages réels, recueillis dans un livre sur le monde professionnel des artisans,[1] mais des histoires semblables existent évidemment dans tous les milieux socioprofessionnels.

La première histoire est celle de monsieur Rivière qui est parvenu à s'installer à son compte comme artisan-pâtissier. La seconde histoire, celle de monsieur Martineau, nous apprend que ce dernier a dû renoncer à son métier de boulanger indépendant, pour redevenir ouvrier-boulanger. Nous nous plaçons donc essentiellement ici au niveau de la mobilité sociale intragénérationnelle.

M. Rivière, dont les parents étaient restaurateurs, a quitté l'école à l'âge de 15 ans — c'est-à-dire avant de passer l'examen du BEPC — pour rentrer en apprentissage dans une petite boulangerie. Il ne voulait plus aller à l'école et souhaitait devenir pâtissier. Il a appris ce métier en changeant plusieurs fois d'employeurs. Après son service militaire en 1958, il s'est marié avec une fille de travailleurs indépendants. Le père de sa femme était artisan-peintre, et sa belle-mère tenait un commerce de droguerie.

Un an après son mariage, sa femme a quitté son métier de « coupeuse en confection », pour prendre en gérance une boulangerie-pâtisserie avec son mari. Un an plus tard, M. et Mme Rivière ont acheté une pâtisserie, leurs parents respectifs les ont aidés financièrement, et tout c'est bien passé, puisque M. Rivière est désormais petit patron, avec 3 ouvriers.

L'histoire de M. Martineau, est moins positive. M. Martineau est né en 1937. Peu après la guerre, ses parents ont divorcé. Son père était ouvrier, sa mère était « employée de maison », et à l'âge de 14 ans, après avoir obtenu le certificat d'étude, il va travailler dans une ferme. Mais cette activité ne lui plaît pas. Sa mère lui trouve alors une place d'apprenti boulanger. Après son service militaire, il se marie avec une employée de maison.

M. et Mme Martineau font des économies, empruntent auprès d'amis, et prennent finalement une boulangerie en gérance. Cette gérance se révélera une mauvaise affaire : le four était en mauvais état, il explose, et blesse M. Martineau à la jambe. Un an plus tard, un autre accident intervient avec le pétrin électrique, et M. Martineau, blessé au bras, se trouve dans l'obligation d'abandonner. Il devient alors pour un temps chauffeur-livreur, puis reprend une deuxième gérance.

Il rembourse ses dettes, et décide d'acheter une boulangerie en prenant un emprunt sur 9 ans. Son affaire démarre bien, la clientèle augmente. Lorsque soudain, un Monoprix s'ouvre dans la même rue, et lui souffle une partie de ses clients. Or l'emprunt qu'il avait contracté supposait que son chiffre d'affaires augmente régulièrement. Le phénomène inverse se passe, il est donc contraint d'abandonner. Actuellement, M. Martineau est ouvrier-boulanger. Il est donc redevenu salarié.

Ces deux itinéraires peuvent être analysés de différentes manières. La plus courante consiste à souligner le mauvais sort qui s'acharne contre M. Martineau. Peut-être est-il également moins habile que M. Rivière ?

---

[1] Zarca (B.), *Les Artisans, gens de métier, gens de parole*, Paris, L'Harmattan, 1987.

Au-delà de ces appréciations traditionnelles, une lecture sociologique permet d'éclairer d'autres éléments, et d'autres logiques sous-jacentes. En s'inspirant des analyses que propose Pierre Bourdieu, on peut tout d'abord considérer que nos deux artisans évoluent dans un espace social spécifique que l'on appellera un « **champ** ». Un champ se présente comme un espace structuré de positions « dont les propriétés [...] peuvent être analysées indépendamment des caractéristiques de leurs occupants »[1].

A l'intérieur de ce champ, la différence qui caractérise les positions de M. Rivière et de M. Martineau, repose en grande partie sur la concordance plus ou moins heureuse de trois pôles d'inégalités. Pour désigner ces pôles, Bourdieu parle de « capital ». Il distingue un capital social, un capital culturel, et un capital économique. D'après cette analyse, chaque individu possède un capital social, culturel, et économique, et les inégalités de position entre les individus d'un champ donné, dépendent très largement de l'harmonisation de ces trois types de capitaux.

En termes de **capital social**, on constate par exemple que M. Rivière peut s'appuyer sur des parents et des beaux-parents, qui appartiennent déjà au milieu de l'artisanat, alors que « les proches » de M. Martineau, ne connaissent ni le monde des artisans, ni les règles spécifiques de ce milieu. Le capital social est en quelques sorte l'héritage social du point de vue des « relations » : il se compose des amis, des proches, et plus généralement du réseau de relations sociales qui peut vous aider à réussir dans un milieu social donné.

En termes de **capital culturel**, on constate que M. Rivière a un niveau scolaire équivalent au BEPC, alors que M. Martineau n'a que le Certificat d'études. Cette différence de niveau d'étude est un atout supplémentaire pour M. Rivière. Le capital culturel comprend les capacités intellectuelles des individus, leurs titres scolaires, leur consommation de biens culturels, leur maîtrise des usages légitimes de la langue, etc.

En termes de **capital économique** enfin, M. Rivière bénéficie de l'épargne de sa famille et de sa belle-famille pour s'installer, alors que M. Martineau, doit emprunter à un organisme spécialisé, dans des conditions évidemment moins favorables.

Le fait que M. Martineau ait eu des parents divorcés, qu'il n'ait pas eu de chance à plusieurs reprises : le four qui explose, la concurrence de Monoprix, etc., tous ces éléments interviennent certainement dans son infortune. Mais au fond, il y avait dès le départ une inégalité sociologiquement objective entre les deux personnes. Ce qui explique la trajectoire ascendante de M. Rivière, c'est peut-être son sérieux, sa patience, etc., mais c'est aussi le fait que pour lui, les capitaux social, culturel, et économique, s'accordent parfaitement.

Cette lecture sociologique des itinéraires individuels éclaire certains processus de mobilité, elle n'explique pas totalement le phénomène. Plus globalement, la mobilité sociale résulte aussi des évolutions économique et technique. Si par exemple le nombre d'agriculteurs diminue d'une génération à l'autre, une partie des fils d'agriculteurs devra nécessairement exercer un autre métier que celui de leur père. En 1946, la France comptait 33 % d'agriculteurs. Actuellement, ils ne

---

1 Bourdieu (P.), *Questions de sociologie*, Paris, Les Éditions de Minuit, 1980, p. 113.

représentent plus qu'environ 5 % de la population active. Il est donc impossible que tous les enfants d'agriculteurs de l'après-guerre soient aujourd'hui agriculteurs. Une bonne partie d'entre eux est devenue mobile.

A l'inverse, si le nombre de cadres supérieurs s'accroît dans une société, il y aura nécessairement des individus issus d'autres PCS qui connaîtront une mobilité sociale ascendante. On notera que durant ces dernières années, l'accroissement des effectifs de cadres a notamment permis à des fils d'ouvriers de « monter » dans cette catégorie, sans que les fils de cadres soient plus nombreux à être obligés d'abandonner la position de leurs parents.

On parle de **mobilité brute** pour désigner l'ensemble des phénomènes de mobilité décrits dans les tableaux exposés plus haut. Mais cette mobilité brute correspond à deux phénomènes. D'une part, les flux de mobilité sont assez directement le résultat d'une modification de la structure socio-professionnelle de la société. On parle dans ce cas de **mobilité structurelle**. Cette mobilité est en quelque sorte une mobilité forcée. Lorsqu'une société s'industrialise et s'urbanise par exemple, on assiste à un exode rural. La mobilité sociale structurelle se double alors d'une **mobilité géographique**. Cette dernière doit cependant être distinguée de la mobilité sociale, car on peut changer de lieu de travail ou de lieu de résidence, sans nécessairement changer de position dans l'ordre des hiérarchies sociales, ou dans celui des catégories socio-professionnelles.

Parallèlement aux évolutions économiques et techniques, des facteurs démographiques peuvent également jouer un rôle non négligeable. Longtemps, les classes sociales se sont différenciées par leur fécondité. Les classes rurales et ouvrières avaient des taux de fécondités élevés, tandis que les classes favorisées n'assuraient plus leur remplacement. Cette différence devait provoquer une mobilité ascendante pour certains fils d'agriculteurs et d'ouvriers. De même, des flux migratoires, ou des vagues successives d'immigrants peu qualifiés, peuvent-ils favoriser une mobilité ascendante des autochtones, ou de ceux qui sont arrivés depuis plus longtemps.

D'autre part, la mobilité non structurelle, c'est-à-dire celle qui n'est pas mécaniquement entraînée par la transformation de la société est dite « **mobilité nette** ». Cette mobilité résulte de la seule action des individus, mais sa mesure statistique est difficile à établir.

Chapitre 6

CULTURE ET CIVILISATION

Les termes de culture et de civilisation admettent une pluralité de sens et de multiples usages. Le mot culture en particulier, s'emploie aujourd'hui dans les domaines les plus variés et permet de désigner des phénomènes très dissemblables. Le pédagogue parle de « culture générale », l'agriculteur de « culture intensive », le journaliste de « culture de masse », le responsable des relations humaines de « culture d'entreprise », etc. Si l'on cherche à éclairer le sens du mot culture dans des expressions telles que « culture physique », « culture scientifique », « culture nationale », « culture populaire », « culture vivrière » ou « culture classique », on s'aperçoit vite qu'une définition précise et complète de ce terme est particulièrement difficile à établir.

Dans le seul domaine des sciences humaines — où ce mot a toujours fait l'objet d'une attention particulière — la diversité des significations et des usages ne semble pas moins grande. En 1952, deux chercheurs américains[1] dénombraient déjà plus de 150 définitions différentes, forgées depuis le milieu du XVIIIe siècle par des anthropologues, des sociologues ou des psychologues. Cette abondance de définitions pose évidemment le problème de la validité de chacune. Mais cet effort sans cesse renouvelé des chercheurs pour préciser le sens de ce terme, indique aussi qu'il recouvre une notion essentielle.

Afin de mieux cerner les différents usages que font aujourd'hui les sciences sociales des termes de culture et de civilisation, il n'est pas inutile de rappeler d'où viennent ces notions, et comment elles ont évolué dans le temps.

DU XIIIe AU XIXe SIÈCLE

Des deux mots, celui de culture est le plus ancien. Il est issu du latin *cultura* et apparaît en français vers la fin du XIIIe siècle. A cette époque, il désigne soit une pièce de terre cultivée, soit le culte religieux. Mais ce deuxième sens tombe peu à peu en désuétude. Il n'est plus repéré au-delà du XVIe siècle. En revanche,

---

[1] Kroeber (A.L.) et Kluckhohn (C.), *Culture : a critical review of concepts and definitions*, Cambridge (Mass), Papers of the Peabody Museum of american archeology and ethnology, Harvard University XLVII, 1952.

le premier sens évolue. D'un état (la terre cultivée), le mot désigne bientôt une action (le fait de cultiver la terre).

Au cours des XVIe et XVIIe siècles, le terme de culture — qui est alors essentiellement réservé au domaine agricole — commence à être employé dans un sens figuré. Le sens propre du mot se voit transposé à d'autres domaines. Mais cette tendance se développe surtout au siècle des Lumières, sous la plume des philosophes. Jean-Jacques Rousseau parle de la « culture des sciences », d'Alembert de la « culture des lettres », Turgot de la « culture des arts », Condorcet de la « culture de l'esprit. » Si la culture est avant tout l'art de cultiver la terre, le mot évoque désormais aussi l'art de cultiver l'esprit ou les choses de l'esprit.

Ce sens figuré connaît cependant un développement assez limité. Tout d'abord, il faut noter que le mot culture appelle toujours un complément de nom. Qu'il s'agisse des arts, des sciences, ou du progrès intellectuel d'un individu, le mot culture suppose toujours que soit précisé la chose cultivée. L'accent est mis sur l'action, non sur le résultat. Pour évoquer le résultat, autrement dit pour renvoyer à un ensemble de connaissances acquises, le vocabulaire du XVIIIe siècle dispose d'une gamme très étendue de termes ou d'expressions (*instruction, lumières, éducation, homme d'esprit, érudition, belles lettres,* etc.), qui semblent avoir interdit à *culture* et *cultivé(e)* de véritablement s'imposer.

Mais ce développement modeste du sens figuré de culture, s'explique peut-être aussi par le succès que rencontre, dès sa naissance, le terme de *civilisation*. Apparu au milieu du XVIIIe siècle, et devenu usuel presque aussitôt, le terme de civilisation évoque « l'affinement des attitudes, le développement de la politesse, l'adoucissement des mœurs : LA civilisation (au singulier) est un acte tendant à rendre l'homme et la société plus policés, plus civilisés. Mais rapidement le sens du mot évolue et *civilisation* en vient à désigner également le mouvement collectif et originel qui fit sortir l'humanité de la barbarie, puis — de l'action au résultat — l'état de la société civilisée »[1]. Alors que le mot culture est peu utilisé au sens figuré, et que ce sens (la culture comme action) reste pratiquement inchangé jusqu'au début du XXe siècle, le concept de civilisation évoque, dès son apparition ou presque, à la fois un processus, un objectif, et un stade de développement.

La civilisation comme processus et comme objectif, renvoie à l'idée optimiste d'un progrès universel. Au siècle des Lumières, la croyance se répand que l'histoire de l'humanité suit une évolution linéaire et continue, orientée vers un avenir meilleur. Cette représentation rassurante, qui veut que les hommes passent nécessairement de la nuit à la lumière, de la pénurie à l'abondance, de la sauvagerie à la civilisation, remet en cause les explications théologiques jusque-là en vigueur. D'une part, elle postule que le bonheur terrestre doit devenir le but de l'humanité, et d'autre part, elle affirme que les conditions d'un bonheur collectif dépendent avant tout des progrès de la raison humaine.

On notera que cette prise de pouvoir de la Raison, intervient après que des résultats importants aient été obtenus dans les domaines scientifiques et

---

[1] Bénéton (Ph.), *Histoire de mots : culture et civilisation*, Presses de la Fondation nationale des sciences politiques, 1975, p. 33.

techniques. A la fin du XVIIe siècle, la pensée scientifique — depuis peu affranchie des *a priori* théologiques — avait connu une véritable révolution. Newton, Halley, Leibnitz avaient fait progresser de manière décisive la physique, l'astronomie et les mathématiques. Au XVIIIe siècle, encouragés par cette accélération dans l'éclaircissement des mystères de la nature, et fascinés par la maîtrise croissante de l'homme sur son environnement matériel, les philosophes pensent que la civilisation est en marche, et que l'exercice de la Raison doit pouvoir donner la preuve de son efficacité dans tous les domaines. L'organisation politique de la société, l'éducation, l'hygiène, la morale, la religion…, tout doit être repensé, pour être orienté dans le sens du Progrès, c'est-à-dire de la Civilisation.

Cette nouvelle perspective d'un progrès général apparaît donc à la fois comme un idéal à atteindre, et comme une dynamique, en quelque sorte, « naturelle ». La civilisation est un mouvement historique manifeste, particulièrement visible dans le perfectionnement continu des techniques et l'élargissement non moins constant des connaissances, et en même temps, un projet pour l'action, notamment politique. C'est ainsi qu'en Europe occidentale, à la veille de la Révolution française, nombre d'esprits éclairés dénoncent l'immobilisme des autorités traditionnelles, et s'engagent, au nom de la civilisation, dans une lutte contre l'injustice sociale, le despotisme, l'ignorance et la superstition. A cet égard, l'*Encyclopédie*, œuvre collective dirigée par Diderot et d'Alembert apparaît bien comme un acte militant destiné à diffuser les « Lumières » de la Raison, en France et en Europe.

En ce qui concerne le reste du monde, dont la lente découverte se poursuit, le siècle des Lumières développera largement le thème de la nécessaire « civilisation des sauvages » (le mot civilisation étant strictement entendu ici au sens d'une action). Dans la mesure en effet où l'humanité entière est engagée dans un même mouvement de progrès, l'intégration progressive des peuples « non encore civilisés » dans l'univers de la civilisation, apparaît comme un processus à la fois inéluctable et souhaitable pour tous. A cet égard, il est intéressant de rappeler que le mot ethnologie, inventé en France en 1787, désigne à cette époque « l'histoire des progrès des peuples vers la civilisation »[1].

En Europe, il arrive pourtant que la pratique de la colonisation soit vivement critiquée par certains des plus fervents défenseurs du progrès universel. Mais au fond, ces critiques remettent rarement en cause, la mission civilisatrice et la position dominante de l'Occident. On blâme une méthode sans s'opposer au principe, car on pense — avec Condorcet par exemple — que « plus la civilisation s'étendra sur la terre, plus on verra disparaître la guerre et les conquêtes comme l'esclavage et la misère »[2]. Même si certaines erreurs peuvent être commises, on estime globalement que les bonnes manières, les connaissances et l'expérience de l'homme civilisé sont les plus avancées, qu'elles vont dans le sens de l'histoire, et qu'elles doivent être largement diffusées.

C'est dans ce rapport à l'Autre — qui se réduit ici à une opposition simple entre des individus civilisés d'une part, et des êtres sauvages ou en retard, de l'autre —

---

[1] Cité par Bénéton (Ph.), *op. cit.*, p. 39.
[2] Cité par Kaufmann (P.), " Culture et civilisation ", *Encyclopedia Universalis*.

que le terme de civilisation atteint en quelque sorte sa troisième dimension. Il désignait jusqu'ici, à la fois un déterminisme historique et une finalité collective, il renverra désormais aussi à la société qui est la plus avancée sur le long chemin qui mène de la barbarie à la civilisation. La civilisation tend ainsi à se confondre avec la société des Lumières, celle qui la première eut l'intuition du Progrès universel. Dans cette nouvelle vision de l'histoire, où la diversité et la dispersion géographique des peuples sont ramassées en une succession historique linéaire et graduée, la société des Lumières se voit en tête du mouvement. Forte de sa supériorité scientifique et technique, il lui semble légitime d'avoir à montrer l'exemple.

Certains auteurs, tel Jean-Jacques Rousseau — qui n'emploie d'ailleurs pas le terme de civilisation — s'inscriront en faux contre cette conception que l'on qualifierait aujourd'hui d'ethnocentrique. A certains égards, le mythe du bon sauvage et la dénonciation d'une société qui corrompt les hommes, présente une perspective exactement inverse. L'idée d'un Occident civilisateur n'en demeurera pas moins l'une des représentations majeures du XVIIIᵉ siècle français, bientôt reprise par l'ensemble des pays d'Europe occidentale, pour justifier leurs politiques coloniales et impérialistes.

Il convient de souligner qu'au XVIIIᵉ siècle, le terme de civilisation n'est employé qu'au singulier. Au XIXᵉ siècle le pluriel devient possible. Cohabiteront alors, *la* civilisation comme concept unitaire et universaliste, et *des* civilisations dont les contours seront le plus souvent nationaux. On parlera ainsi de « la civilisation française » ou de « la civilisation anglaise », en sachant qu'il existe aussi, au-dessus d'elles, *une* civilisation en marche, c'est-à-dire un modèle de portée universelle vers lequel toutes les sociétés doivent converger.

En Grande-Bretagne, le terme de *civilization* — apparu également dans la deuxième moitié du XVIIIᵉ siècle — recouvre exactement les mêmes significations. Il indique d'une part, le mouvement de progrès, de perfectionnement, de raffinement d'une société, et d'autre part un état caractéristique de certaines sociétés avancées. Quant à l'évolution du mot *culture*, elle est à peu près identique à celle de son équivalent français.

En revanche, le concept allemand de *Kultur* — forgé à la même époque que ceux de *civilisation* en France et *civilization* en Grande-Bretagne — se distingue par un usage particulier. Les historiens allemands du XVIIIᵉ siècle vont en effet emprunter le concept français de culture, pour l'appliquer non pas au développement intellectuel d'un individu, mais au progrès d'une collectivité. Pour ces savants, *die Cultur* — ce n'est qu'au cours du XIXᵉ siècle que ce mot perdra son orthographe « à la française » — désigne le progrès intellectuel, matériel, et social d'une collectivité humaine. Comme leurs collègues français, les historiens allemands sont persuadés que le développement de l'humanité est dominé par une loi de progrès. Ils ont étudié le développement des techniques à travers les âges, ils s'intéressent eux aussi à l'évolution des mœurs, mais ils préfèrent parler de culture plutôt que de civilisation pour désigner ces manifestations de progrès. La notion allemande de culture se distingue donc très peu des notions françaises ou britanniques de civilisation.

Au cours du XIXᵉ siècle cependant, le signification du mot *Kultur* évolue dans le sens d'un resserrement. D'une part, la *Kultur* tend à se lier au concept de nation, et d'autre part elle se rapporte de plus en plus exclusivement aux aspects intellectuels et moraux de la vie sociale. Tandis que le concept de civilisation hérité des Lumières englobe l'évolution des sciences et des techniques en mettant l'accent sur une dimension universelle, le concept allemand souligne les particularismes nationaux, les styles de vie, l'âme des communautés, sans tenir compte de l'aspect matériel de ces collectivités (d'où le *Kulturkampf,* ou combat pour la culture et contre l'obscurantisme de Bismarck dans l'Empire de Guillaume Ier).

De plus, alors que du côté français, l'idéal universel et le programme d'action que représentait la *civilisation* se transforment progressivement en un patrimoine à défendre, pour les allemands cette *civilisation* d'origine française renvoie surtout aux bonnes manières, à la civilité, à l'artifice, et finalement à une société de cour superficielle et vieillie. A leur yeux, la *Kultur* désigne au contraire la vertu, la moralité véritable, l'authenticité des peuples. Durant la guerre de 1914-1918, cette différence de point de vue prendra un tour extrême, chacune des deux nations cherchant à prouver la supériorité de son modèle.

APPROCHES ANTHROPOLOGIQUES

Parallèlement à cette évolution à la fois politique et philosophique des notions de culture et de civilisation, les anthropologues anglo-saxons du XIXe siècle, vont travailler au rapprochement des deux termes. Il s'agit pour eux de trouver un concept qui permette de rendre compte de la richesse et de la dynamique des sociétés dites primitives. Déjà en Allemagne, certains courants de recherche avaient commencé à s'orienter vers un concept plus scientifique de Kultur, en se concentrant sur les traits caractéristiques des communautés étudiées, sans chercher à les définir par rapport au « modèle » occidental. Ce recul de l'ethnocentrisme se confirmera dans les études anglo-saxonnes.

L'un des premiers auteurs qui ait rapproché le terme de culture de celui de civilisation est un anthropologue anglais nommé Edward Burnett Tylor (1832-1917). « La culture, ou la civilisation, écrit-il en 1871, est cet ensemble complexe qui comprend les connaissances, les croyances, l'art, la morale, le droit, les coutumes, et toutes les autres aptitudes et habitudes acquises par l'homme, en tant que membre d'une société »[1].

Malgré son caractère énumératif et dispersé, cette définition présente un double avantage. D'une part, elle fait de *culture* et *civilisation* des synonymes, annulant ainsi toute supériorité ou infériorité potentielle de l'un ou l'autre terme, et d'autre part, elle cesse de présenter la culture, comme le résultat d'un progrès. La culture est un ensemble de faits observables à n'importe quel moment et sur n'importe quel continent. Elle devient un concept opératoire qui permet de décrire n'importe quelle société humaine, sans avoir à porter un jugement de valeur, ni sur son degré de développement, ni sur son degré de raffinement.

---

[1] Tylor (E.B.), 1871, *Primitive culture*, New York, Brentano's, 1924.

Tandis que se renouvellent les méthodes ethnographiques, et que s'affirme une vision relativiste des sociétés, les ethnologues vont bientôt chercher à dépasser une approche purement descriptive des cultures, pour s'interroger davantage sur ce qui fonde leur unité. Durant l'entre-deux-guerres, différents courants é-mergeront de cette nouvelle orientation d'analyse, les deux principaux étant le courant culturaliste et le courant structuraliste.

D'origine américaine, **l'approche culturaliste** s'appuie sur la psychologie et la psychanalyse, en mettant l'accent sur la socialisation des individus. Elle cherche à repérer la spécificité des cultures dans la personnalité et le comportement des individus, en insistant sur le rôle déterminant de l'éducation, de l'imitation et du conditionnement. Elle montre comment chaque société, à la fois consciemment et inconsciemment, façonne à sa manière la personnalité de ses membres par un ensemble d'institutions, de règles et d'habitudes particulières.

L'idée que l'appartenance à une société influe profondément sur le comporte-ment et la mentalité de ses membres, n'est pas une idée neuve. Des philosophes (comme Platon), des médecins (comme Hippocrate), ou des historiens (comme Hérodote), avaient déjà parlé du « caractère » de certains peuples. L'approche culturaliste consiste en quelque sorte à approfondir cette observation. Elle tente de repérer ce que la personnalité des individus doit au processus de socialisation, et ambitionne ainsi de découvrir les éléments fondamentaux qui assurent à la fois l'unité et l'originalité d'une culture.

Abraham Kardiner, l'un des principaux théoriciens du courant culturaliste, soutiendra en 1945, qu'à chaque culture correspond une « personnalité de base », c'est-à-dire une configuration psychologique particulière s'exprimant aussi bien dans des conduites, des sentiments, ou des systèmes de pensée. Selon cet auteur, la personnalité de base que partagent les membres d'une société donnée, est une sorte de « commun dénominateur » qui se manifeste par un certain *style* de vie, sur lequel les individus viennent broder leurs variantes personnelles.

Pour étayer sa démonstration, Kardiner propose de distinguer des institutions « primaires » et des institutions « secondaires ». Les premières contribuent à former la personnalité de base. Elles comprennent notamment la famille et le système éducatif. Les secondes (religion, mythes, modes de pensée) sont pré-sentées comme des émanations du groupe. Tandis que les institutions primaires façonnent les individus, ceux-ci réagissent, cherchent à les modifier, et ce faisant élaborent des institutions secondaires.

Bien que cette distinction entre des institutions primaires et des institutions secondaires demeure fragile, le concept de personnalité de base est séduisant. D'une part, il laisse supposer qu'une analyse des institutions pourrait permettre d'éclairer les principaux traits de caractère des individus, et d'autre part, il permet également de penser que l'histoire d'un individu contiendrait déjà à elle seule, le schéma culturel d'une société ou d'une communauté.

Dans une autre perspective, Claude Lévi-Strauss, l'un des principaux repré-sentants de **l'approche structuraliste** en anthropologie, introduira l'idée que la culture possède une architecture similaire à celle du langage. « L'une et l'autre explique-t-il, s'édifient au moyen d'oppositions et de corrélations, autrement dit, en relations logiques »[1]. L'origine de la démarche de Lévi-Strauss est à trouver dans l'analyse structurale proposée par la linguistique. Cette analyse s'appuie sur l'idée que les sons d'une langue ne sont pas en eux-mêmes signifiants. C'est leur assemblage, leur articulation, leur interdépendance — autrement dit, le système ou la structure de la langue — qui leur donne sens.

Lorsqu'il étudie les structures de la parenté (1949), ou lorsqu'il entreprend l'analyse des mythes (à partir de 1958), Lévi-Strauss garde à l'esprit que le sens résulte toujours de la combinaison d'éléments qui ne sont pas eux-mêmes signifiants. Dans chacun de ces domaines, il cherche donc des corrélations, des enchaînements logiques, pour faire apparaître leur structure. La structure ne se voit pas. Elle est une sorte de réservoir idéal de connexions virtuelles.

Ici, il convient de distinguer d'une part la structure totale d'un domaine, par exemple la structure des mythes, et d'autre part, l'ensemble des sous-structures qui correspondent aux diverses manifestations ou combinaisons partielles observables dans différents lieux ou à différentes époques. En étudiant les mythes de différentes sociétés, Lévi-Strauss tente de dégager la structure du domaine que constituent les mythes, c'est-à-dire les lois d'enchaînement fondamentales qui sont à la base de tous les mythes existants ou ayant existé. Chaque domaine (les mythes, les structures de la parenté, mais aussi l'organisation économique, les pratiques artistiques, etc.), s'organise selon des modes d'enchaînement spécifiques. Les structures de ces différents domaines communiquent néanmoins entre elles, pour constituer la culture.

L'approche structuraliste de Lévi-Strauss présente donc la culture comme un système général dont les règles seraient communes à toutes les sociétés. Au-delà de la diversité des cultures observées, il y aurait ainsi des « invariants », c'est-à-dire, des règles permanentes autour desquelles s'organisent les différents systèmes culturels. La prohibition de l'inceste constituerait l'une de ces règles.

Cette conception conduit Lévi-Strauss à donner une définition de la culture comme « système d'écarts significatifs ». En 1952, il propose d'appeler culture « tout ensemble ethnographique qui, du point de vue de l'enquête, présente, par rapport à d'autres, des écarts significatifs. Si l'on cherche à déterminer des écarts significatifs entre l'Amérique du Nord et l'Europe, on les traitera comme des cultures différentes ; mais, à supposer que l'intérêt se porte sur des écarts significatifs entre — disons — Paris et Marseille, ces deux ensembles urbains pourront être provisoirement constitués comme deux unités culturelles. L'objet dernier des recherches structurales étant les constantes liées à de tels écarts, on voit que la notion de culture peut correspondre à une réalité objective, tout en restant fonction du type de recherche envisagé. Une même collection d'individus, pourvu qu'elle soit objectivement donnée dans le temps et dans l'espace, relève simultanément de plusieurs systèmes de cultures : universel, continental, national, provincial, local, etc. ; et familial, professionnel, confessionnel, politique, etc. »[2].

---

1 Lévi-Strauss (C.), *Anthropologie structurale*, Paris, Plon, 1958, pp. 78-79.
2 *Ibid.*, p. 325.

Avant d'étudier les rapprochements qu'il est possible d'établir entre la notion de culture et la notion de groupe, il convient au préalable de revenir sur l'évolution des concepts de civilisation et de culture, dans le domaine de la sociologie.

APPROCHES SOCIOLOGIQUES

Peu avant la première guerre mondiale, Émile Durkheim et Marcel Mauss (1872-1950) vont tenter de préciser le sens du mot **civilisation**. Cet effort de définition, que Marcel Mauss poursuivra durant l'entre-deux-guerres, peut être interprété comme une réponse française au succès que rencontre le concept anglo-saxon de culture. Mais derrière la concurrence de ces deux termes se joue également une évolution des rapports entre sociologie et anthropologie.

Au début du XXe siècle, l'usage anthropologique du mot culture — inauguré par Tylor — ne cesse de gagner du terrain non seulement dans les travaux d'ethnologie, mais également en sociologie. A l'université de Chicago par exemple, où le département de sociologie — qui existe depuis 1893 — est en train de poser les bases de ce que l'on appellera bientôt la sociologie urbaine, la notion anglo-saxonne de culture est largement utilisée. Or cet usage à la fois moderne, et à certains égards restreint, du terme de culture, n'est pas encore à l'ordre du jour en France, ni en sociologie, ni en ethnologie. Les chercheurs français restent attachés au concept de civilisation.

Pour comprendre cet attachement, il convient tout d'abord de préciser que la sociologie française de cette époque revendique une position privilégiée au sein des sciences sociales, que ne réclame pas la sociologie plus pragmatique des chercheurs américains. Dans la tradition française, la sociologie est alors considérée comme la science de la société par excellence. Elle ambitionne de présider à l'étude de toutes les sociétés, qu'il s'agisse de sociétés « civilisées » ou de sociétés « primitives ». Alors que l'ethnologie anglo-saxonne est totalement autonome, en France on considère encore cette discipline comme une branche de la sociologie.

Cette volonté française de fonder une science générale des sociétés humaines, explique peut-être en partie cette fidélité au concept, somme toute fédérateur, de civilisation. L'un des sens de ce concept ne concerne-t-il pas en effet toute l'humanité ? Les historiens ne nous apprennent-ils pas que *la* civilisation commence au néolithique, avec le développement de la sédentarisation, et les débuts de l'élevage et de la culture des céréales entre 9000 et 6000 ans avant J.-C., dans le sud-ouest de l'Asie, et entre 4000 et 2000 ans avant J.-C., en Europe ?

D'autre part, le mot culture a en France un sens particulier. Comme il a été précisé plus haut, ce mot est avant tout associé, soit à l'agriculture, soit aux phénomènes de la vie intellectuelle. Ce n'est qu'à partir des années 1930, et sous l'influence des recherches américaines, que la notion anthropologique de culture s'imposera finalement dans le vocabulaire scientifique français.

Enfin, il s'agit pour Durkheim et Mauss de défendre le concept de civilisation, face à une *Kultur* allemande dont les accents fréquemment nationalistes inspirent la plus grande méfiance.

La civilisation, énoncent-ils dans les années 1910, doit être comprise comme un ensemble de « phénomènes sociaux qui ne sont pas attachés à un organisme social déterminé ; ils (ces phénomènes) s'étendent sur des aires qui dépassent un territoire national, ou bien ils se développent sur des périodes de temps qui dépassent l'histoire d'une seule société. Ils vivent d'une vie en quelque sorte supra-nationale »[1]. C'est une conception plurielle de la civilisation.

Cette définition marque un tournant important, pour deux raisons. En premier lieu, elle laisse entrevoir qu'il est possible de détacher la notion de civilisation, des jugements de valeurs et de l'ethnocentrisme auxquels cette notion est historiquement liée. Après la rédaction de cet article, les acceptions traditionnelles du mot civilisation renvoyant à un état social évolué ou à un mouvement de progrès, ne disparaissent pas pour autant du vocabulaire sociologique. On continue de les rencontrer, y compris dans des textes de Durkheim et de Mauss, où elles coexistent avec le concept nouvellement forgé. Cela étant, rien dans ce concept n'indique que la civilisation relève d'un mouvement universel dont l'Occident marquerait l'étape la plus avancée.

La seconde originalité de cette définition est qu'elle limite l'emploi du terme à des phénomènes sociaux supra-nationaux, autorisant ainsi implicitement l'usage du terme de culture pour désigner des phénomènes de moindre envergure comme des phénomènes sociaux nationaux, par exemple. Durkheim et Mauss proposent ainsi d'établir une distinction entre des phénomènes nationaux comme les institutions politiques ou juridiques, qui selon eux sont caractéristiques de sociétés déterminées, et des phénomènes de civilisation comme les mythes, les contes, les connaissances scientifiques ou les outils, « qui dépassent l'histoire d'une seule société ».

Le choix de définir notamment les institutions politiques et juridiques comme des phénomènes culturels spécifiquement nationaux, n'est peut-être pas étranger à la rivalité franco-allemande qui domine un contexte historique sur lequel nous ne reviendrons pas. En revanche, l'idée que la civilisation constitue une aire commune à plusieurs sociétés (européenne plutôt que française ou britannique, par exemple), permet d'envisager un usage à la fois plus objectif et plus méthodique, du terme de civilisation. La civilisation n'est plus une abstraction fondée sur un jugement de valeur. Définie comme une aire (méditerranéenne, par exemple), elle autorise l'examen de phénomènes de contacts, d'influences et de convergences entre des cultures voisines, en même temps qu'elle invite à rechercher les processus par lesquels des sociétés particulières s'individualisent sur un fond de civilisation.

En somme, la question n'est plus tant de définir la notion même de civilisation dans ce qu'elle à de vague et d'ambigu, mais plutôt d'étudier comment vivent et évoluent des civilisations, entendues comme des totalités de grande ampleur, comme des ensembles humains de dimension particulièrement vaste, marqués par une certaine homogénéité. Encore faut-il parvenir à définir les contours de ces ensembles, à la fois dans le temps et dans l'espace.

---

1   Durkheim (E.), Mauss (M.), " Note sur la notion de civilisation " *in* : *L'Année sociologique*, tome XII, 1909-1912, Paris 1913, pp. 46-50. (Également dans : Mauss (M.), *Œuvres*, tome 2, Paris, Éditions de Minuit,1969.)

C'est ici qu'intervient la question du choix, d'un ou de plusieurs caractères déterminants. Par exemple, si l'on parle d'une civilisation islamique, le caractère déterminant que l'on sélectionne est un caractère religieux. On admet que la dimension religieuse définit une certaine unité culturelle et morale, et on « construit » à partir de cette dimension, un ensemble aux contours plus ou moins clairement délimité. Mais il est également possible de choisir d'autres critères ; de parler, par exemple, d'une civilisation arabe. Dans ce cas, la « géographie » que l'on dessine est très différente.

De la même façon, on peut parler d'une civilisation occidentale, d'une civilisation européenne, d'une civilisation anglo-saxonne ou d'une civilisation américaine, mais à condition de ne pas oublier que l'aire d'une civilisation dépend toujours du ou des critères qui ont été retenus pour l'identifier. Une civilisation n'est pas seulement une réalité concrète, c'est aussi, et peut-être surtout, une construction abstraite élaborée sur la base de certains choix.

Différentes caractéristiques peuvent ainsi être relevées pour l'étude des civilisations. S'intéresser aux « civilisations du Livre » par exemple, revient à pointer une dimension symbolique (la Bible et le Coran comme livres sacrés), mais aussi matérielle (le livre comme objet) et culturelle (l'écriture et la lecture comme pratique), dimension que l'on ne retrouve pas dans toutes les sociétés humaines. Par ailleurs, certaines dimensions telles que les conditions spatiales d'existence des populations, leur répartition géographique, leur mouvement (pour les civilisations nomades notamment), ou même leurs activités économiques, toutes ces formes extérieures d'existence peuvent éventuellement permettre de distinguer certains grands groupes.

Cependant, l'usage du terme de civilisation est aujourd'hui de moins en moins fréquent en sociologie, comme en anthropologie. La raison principale de cette désaffection réside dans le fait que ce concept a trop souvent impliqué une vision étroite et évolutionniste du monde, en même temps qu'une discrimination entre « civilisés » et « non civilisés ». De nos jours, personne n'oserait plus prétendre qu'il existe des groupes sociaux incultes, et personne ne croit plus que l'histoire de l'humanité évolue en fonction d'un schéma linéaire unique. Si les historiens repèrent une évolution incontestable dans le domaine des sciences et des techniques, on sait aussi que les civilisations les plus brillantes disparaissent un jour (la civilisation romaine, les civilisations précolombiennes, etc.), et qu'il n'y a pas d'évolution continue ni dans le domaine des arts, ni dans les domaines de la pensée religieuse ou philosophique par exemple.

Aussi pense-t-on généralement à la signification de culture, lorsqu'on emploie le terme de civilisation. Dans les textes sociologiques ou anthropologiques d'aujourd'hui, les mots culture et civilisation sont le plus souvent interchangeables. Parler de la civilisation américaine ou de la culture américaine renvoie, dans les deux cas, au même mode de vie caractéristique. Tout au plus la connotation de rayonnement attachée au terme de civilisation souligne-t-elle un phénomène d'expansion ou d'influence, que n'évoque pas nécessairement le terme de culture. Encore que l'expression « culture américaine » sous-entend elle aussi un phénomène social qui dépasse largement les limites géographiques des États-Unis, ou de ce continent.

Parallèlement à cet usage synonymique des mots culture et civilisation, le terme de **culture** est aussi employé, dans les sciences sociales, pour caractériser des groupes humains de dimension beaucoup plus réduite. Le plus souvent, il s'agit d'ailleurs pour le sociologue, de décrire des cultures particulières au sein de sociétés données. Si l'étude des civilisations cherche à rendre compte de l'unité culturelle d'ensembles « supra-nationaux », ordinairement, le travail du sociologue consiste à identifier la culture de groupes sociaux beaucoup plus restreints, et à analyser les rapports que ces cultures entretiennent entre elles.

Dans cette perspective, pour ainsi dire intra-sociétale, la définition du terme de culture élaborée par Guy Rocher en 1968 à partir de plusieurs autres définitions, peut servir de référence. La culture, propose-t-il, est « un ensemble lié de manières de penser, de sentir et d'agir plus ou moins formalisées qui, étant apprises et partagées par une pluralité de personnes, servent, d'une manière à la fois objective et symbolique, à constituer ces personnes en une collectivité particulière et distincte »[1].

Dans un livre célèbre paru en 1895, et intitulé *Les Règles de la méthode sociologique*, Durkheim défend l'idée que l'activité sociale des individus, consiste en des « manières d'agir, de penser et de sentir qui sont extérieures à l'individu, et qui sont douées d'un pouvoir de coercition qui s'impose à lui »[2].

L'expression « manières d'agir, de penser et de sentir » que reprend Guy Rocher, indique que la culture d'un groupe comprend, des actions, des connaissances, des idées, des représentations, mais aussi des sentiments ou des impressions, c'est-à-dire des manifestations moins visibles, relevant de la vie la plus intime des individus. Bien qu'elle s'individualise, une culture est néanmoins « partagée par une pluralité de personnes ». En d'autres termes, il est nécessaire que ces diverses manifestations aient acquis un caractère collectif.

Par ailleurs, chacun sait qu'un enfant qui naît, et qui grandit dans telle famille, telle région, telle société, est nécessairement amené à se comporter d'une certaine manière. Il doit par exemple, manger certains mets, s'habiller d'une certaine façon, adopter certaines attitudes dans certaines situations, et il est clair que le même enfant soumis très tôt à un autre environnement social, à une autre culture, aura des comportements différents. C'est à ce phénomène que la deuxième partie de la formule de Durkheim renvoie.

On notera que nous sommes ici très proches de la proposition de Tylor, selon laquelle « la culture se compose de toutes les aptitudes et de toutes les habitudes acquises par l'homme en tant que membre d'une société ». Les notions d'acquisition et d'apprentissage soulignent que la culture ne résulte pas d'une transmission biologique ou génétique. Si les traits physiques des individus par exemple, sont largement déterminés par l'hérédité, les traits culturels représentent au contraire un héritage que chaque personne recueille, s'approprie et transforme.

En précisant que ces manières d'agir, de penser et de sentir, sont « plus ou moins formalisées », Guy Rocher insiste sur le fait qu'il ne s'agit pas d'un héritage

---

1   Rocher (G.), *Introduction à la sociologie générale*, t. 1 : *L'Action sociale*, Paris, Seuil, 1968, p. 111.
2   Durkheim (E.), 1895, *Les Règles de la méthode sociologique*, Paris, P.U. F., 1977, p. 5.

monolithique et rigide. Certaines dimensions de cet héritage laissent aux individus une part d'interprétation et d'adaptation importantes (certaines règles de politesses, par exemple), d'autres au contraires présentent nettement moins de souplesse (une loi ou un ordre).

Cet héritage constitue par ailleurs « un ensemble lié ». Cela signifie que les différents éléments qui composent la culture d'un groupe (parfois considérés comme formant une sub-culture) ne sont pas simplement juxtaposés ou additionnés les uns aux autres. Ils sont au contraire reliés entre eux et forment une totalité. Lorsqu'un des éléments d'une culture se modifie, ce changement entraîne des transformations dans d'autres secteurs de la culture en question.

Cette totalité, dont les parties sont en quelque sorte solidaires, est vécue par les personnes qui la composent comme un ensemble à la fois cohérent et familier. Les façons d'agir, de penser et de sentir que partagent les membres d'un groupe, apparaissent à ces derniers aussi réelles ou « objectives » que d'autres réalités plus tangibles ou plus ostensibles qu'ils peuvent avoir en commun, telles qu'un territoire, une ville, des monuments, des symboles, etc. En cela, on peut dire que la culture d'une collectivité donnée est d'abord ressentie subjectivement par les membres qui la composent.

L'appartenance à une collectivité est non seulement perçue, mais encore constamment réaffirmée par une quantité de conduites individuelles ou collectives. Cesser de pratiquer telle activité avec tel groupe, s'engager dans telle autre, qu'il s'agisse de sport, d'éducation, de travail, ou de politique, revient à franchir des frontières en quelque sorte immatérielles, qui délimitent les cultures de ces collectivités. Dans cette perspective, toute société est polyculturelle. Peut-on pour autant parler de cultures politiques, confessionnelles, régionales, professionnelles, familiales, scolaires, etc., sans faire de distinction entre ces différentes réalités ? La question se pose en tous cas de savoir jusqu'où cette liste peut s'étendre, et comment elle peut être organisée.

Après avoir précisé que la notion de culture est fonction du type de recherche envisagé, Lévi-Strauss on l'a vu, propose implicitement, dans les années 1950, de distinguer des espaces culturels liés à une proximité géographique, à une cohabitation sur un même territoire « universel, continental, national, provincial, local, etc. », et des espaces culturels propres aux liens du sang, aux associations ou alliances diverses, aux relations professionnelles, etc.

En se situant le plus souvent dans le cadre d'une société donnée, les sociologues d'aujourd'hui cherchent à comprendre comment s'articulent ces différentes formes de la culture. Le terme de culture ne sert pas seulement à caractériser des groupes sociaux plus ou moins étendus, il s'applique aussi à des ensembles humains de différentes natures. On peut chercher à définir la culture d'une société globale (une nation, par exemple), ou celle d'une région ; on peut aussi étudier la culture d'une entreprise implantée sur différentes régions, ou encore la culture d'une classe d'âge, ou d'une classe sociale, en distinguant par exemple au sein de ces « classes », des fractions ou des « sous-cultures » propres à certains groupes spécifiques.

Mais opérer ces distinctions, revient à déterminer quels sont les points forts autour desquels ces différentes dimensions se constituent. Ces points forts sont en quelque sorte les éléments constitutifs de la culture. Ils comprennent les valeurs et les normes, qui elles mêmes déterminent des rôles sociaux, des statuts, mais aussi des interdits et des sanctions. La difficulté — et en même temps la raison d'être — de la recherche sociologique, vient de ce que ces différents points forts, propres à toute culture, sont en perpétuel réajustement.

A la fin du XXe siècle est apparu un débat sur le **multiculturalisme** et **l'interculturalisme**. Le multiculturalisme est une réalité de toutes les sociétés et particulièrement des sociétés modernes. Il interroge sur l'identité de chacun et des groupes. La dimension interculturelle se présente comme un début de réponse pour faire face aux questions posées par cette situation.

Comme on l'a vu, il n'y a pas une culture, mais des cultures qui ne peuvent être pensées les unes indépendamment des autres. C'est ici que l'on passe du culturel au multiculturel. Cette constatation générale sur la circulation des cultures et sur l'influence réciproque des cultures doit être envisagée de manière particulière à notre époque : le développement des échanges au plan mondial implique en effet un mouvement accéléré où les repères sont plus difficiles à discerner. Cela signifie-t-il que va émerger une multiculture mondiale ? D'une certaine façon cela existe déjà. Mais, le multiculturalisme devient non seulement le plus petit commun dénominateur, mais ce dénominateur est produit par la culture dominante au niveau mondial. Dès lors les risques d'impérialisme culturel sont patents sous couvert de multiculturalisme. Le multiculturalisme serait alors une forme de relativisme total, du moins au niveau conceptuel, car il va de soi que dans la réalité des rapports de force existent qui permettent plus ou moins telle expression culturelle.

Enfin, et de manière paradoxale, la problématique du multiculturalisme peut conduire à mettre en avant d'abord les spécificités de chaque groupe ou sous-groupe social en insistant sur le droit à la différence de chacun et en concevant le corps social comme une simple addition de ces composantes. On comprend bien que la société américaine, formée d'apports successifs les plus divers, conçoive les choses de cette manière. A cet égard, il s'agit moins d'un melting-pot que d'une juxtaposition d'éléments vivant souvent chacun dans son ghetto. On sait aussi que cette juxtaposition n'est pas sans heurts.

Face aux risques de l'analyse multiculturelle, la démarche interculturelle peut être une attitude qui implique la reconnaissance mutuelle pour un dialogue des cultures. Dans la recherche d'un statut de l'identité et de l'altérité, elle semble le seul moyen de dépasser les contradictions que nous avons évoquées précédemment. L'idée de reconnaissance est au coeur de la démarche interculturelle. Ce n'est pas essentiellement la reconnaissance de la différence comme on a pu le penser un moment. L'insistance sur la différence et le droit à la différence peut conduire à son retournement et à des stratégies d'apartheid au sens premier c'est-à-dire de développement séparé. La reconnaissance doit d'abord être reconnaissance de ce qui est, de ce qui existe, ce qui implique nécessairement la réciprocité : c'est le sens du mot interculturel. Plus que la tolérance, c'est l'acceptation de l'interrogation sur soi, un mouvement vers les autres, pas une attitude statique. Si l'individu est le croisement de relations, la reconnaissance interculturelle doit entraîner une réciprocité équilibrée, une politique de respect égal.

Chapitre 7

FAMILLES

Le terme « famille » est souvent employé au singulier dans les discours politiques qui mettent en avant l'intérêt de cette institution sociale. En fait pour les sociologues, il n'y a pas un modèle unique de famille mais des structures diversifiées, à travers le temps et l'espace.

Dans la langue française, le mot famille désigne deux réalités qui ne se recoupent que partiellement. Dans un premier sens, il s'agit des gens qui ont un lien « de sang », complétés éventuellement par les alliés (famille des conjoints) : les grands-parents, oncles, tantes, cousins font partie de la famille d'un individu. Dans un deuxième sens, le mot famille désigne le groupe de gens qui vivent ensemble dans un même lieu : dans nos sociétés, il s'agit souvent du père, de la mère et des enfants.

On voit donc que le mot famille renvoie à deux réalités complémentaires mais distinctes : la parenté et le groupe domestique. Les petits enfants ont souvent du mal à comprendre que leurs parents avec qui ils forment une famille (groupe domestique) n'appartiennent pas à la même famille (parenté) mais au contraire à deux familles différentes.

Le groupe domestique (*household* en anglais) désigne un groupe de résidence et un groupe de consommation. Les systèmes de parenté ont notablement varié dans l'histoire des hommes. Comme on le verra, le sens du mot famille pourrait même dépasser ces deux éléments.

PARENTÉ

C'est à travers la constitution d'arbres généalogiques que l'on peut comprendre les différents systèmes de parenté. A partir d'un individu (qu'on appellera X), on peut situer le père et la mère, les frères et sœurs, les grands parents paternels, les grands parents maternels, les frères et sœurs du père et de la mère, leurs conjoints et leurs enfants qui sont des cousins germains (*first cousins* en anglais). Les cousins issus de germains sont en France désignés comme des cousins à la mode de Bretagne. On voit là qu'un élément de l'histoire de France (l'empire de Charlemagne en 800 ap. J.-C.) rend les cousins germains plus proches que les cousins à la mode de Bretagne, la Bretagne n'ayant été rattachée à la France qu'en 1524.

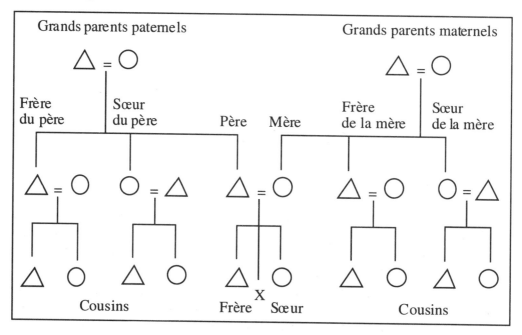

On peut établir la descendance d'un individu de génération en génération. Le groupe de gens qui descendent d'un même ancêtre commun connu s'appelle un lignage. Il y a deux types de lignage : ceux qui mettent en avant la filiation maternelle (système matrilinéaire) et ceux qui mettent en avant la filiation paternelle (système patrilinéaire).

La filiation maternelle est la plus facile à établir : les témoins de la naissance de l'enfant sont là pour l'attester. D'autre part, dans l'histoire de l'humanité, il est possible que le rôle de l'homme (individu masculin) dans la procréation n'ait pas toujours été précisément établi. Les premières représentations humaines (au sens du genre humain) et divines sont celles de déesses ou de femmes. La fertilité, la génération sont d'abord associées au féminin.

Dans ce cadre, le système matrilinéaire est celui où la mère reste dans sa famille d'origine (aspect matrilocal), garde son nom et le transmet à ses enfants de même que ses biens. On connaît des sociétés où le rôle du géniteur mâle est réduit à un bref séjour pour procréer ; le véritable chef de famille est alors le frère de la mère qui porte le même nom que les enfants.

Il y a des subsistances de ce système dans les monarchies qui admettent les femmes au trône : le mari de la reine régnante n'est qu'un prince consort au rôle réduit (c'est le cas actuellement en Grande-Bretagne). Dans la Bible, au livre de la Genèse qui veut raconter la Création du monde, on indique que « l'homme quitte son père et sa mère et s'attache à sa femme » (Gn, II, 24) : c'est un système matrilocal. Encore aujourd'hui l'appartenance au peuple juif s'établit par la mère : on est juif parce que l'on a une mère juive (système matrilinéaire). En droit civil français actuel, si les parents ne sont pas mariés et si la mère reconnaît en premier lieu l'enfant, celui-ci portera le nom de sa mère (article 334-1 du code civil).

Le système patrilinéaire est celui où l'homme vit généralement chez ses parents, transmet son nom et ses biens à ses enfants. Le système est patrilocal et patrilinéaire si la femme vient vivre chez son mari, matrilocal et patrilinéaire si le mari va vivre dans la famille de sa femme. La société d'Ancien Régime en France était essentiellement patrilinéaire. Aujourd'hui, quand les parents sont mariés ou quand ils reconnaissent ensemble un enfant c'est le nom du père qui est transmis ; on parle d'ailleurs de nom « patronymique ». Une loi récente (23 décembre 1985) et peu fréquemment appliquée permet à titre d'usage d'utiliser également le nom de la mère, mais ce dernier ne sera pas transmis.

En réalité, tous les systèmes de parenté ne reposent que partiellement sur les liens biologiques « de sang ». D'abord, parce que dans presque toutes les sociétés l'on admet des filiations adoptives. Ensuite parce que les techniques modernes permettent soit l'insémination de la mère avec le sperme d'un donneur qui n'est pas le mari, soit l'implantation d'un ovule non issu de la mère fécondé par un autre que le mari (mères porteuses). Par ailleurs, dans plusieurs sociétés on appelle père celui qui est en fait un oncle et mère celle qui est une tante. Enfin, la paternité est un des éléments les plus difficiles à établir de manière certaine, c'est pourquoi le droit romain antique retenait l'adage : *« Pater is est quem nuptiae demonstrant »*, c'est-à-dire : le père est celui que désignent les noces. Il y a alors une présomption de paternité pour le mari de la mère : de ce fait, en France, jusqu'il y a une vingtaine d'années, on ne pouvait pas prouver la filiation adultérine en justice. Le principe *« Pater is est »* ne pouvait être contesté.

A côté des lignages patri- ou matrilinéaires, on parle parfois de clan (du gaélique *clann* désignant la grande famille). Le clan est formé de personnes qui disent descendre d'un même ancêtre sans que cela puisse être prouvé et alors qu'il manque souvent des maillons dans l'arbre généalogique. On voit alors qu'il s'agit d'une situation où le mythe a pris une importance déterminante. L'ancêtre commun peut ne pas avoir existé réellement ou ne pas être désigné comme un homme. Il est souvent représenté sous forme de totem qui joue un rôle central dans le clan considéré. La tribu est un ensemble de clans qui évoluent sur un territoire donné.

MARIAGE

Le terme « mariage » recoupe des réalités très diversifiées. L'idée essentielle est celle d'un certain type de relations relativement stables et présentées comme légitimes. Le mariage crée des relations d'affinités dites d'alliance entre les membres des familles des conjoints. A partir de là, on peut avoir plusieurs modèles qui concernent d'abord le nombre de partenaires concernés.

On peut tout d'abord admettre qu'un nombre indéterminé d'hommes et de femmes vivent ensemble et pratiquent l'échange sexuel. Mais le plus souvent on distinguera la polyandrie (une femme ayant plusieurs maris) et la polygynie (un homme ayant plusieurs femmes). Cette polygynie peut être hiérarchisée (existence d'une femme « principale ») ou précisée : l'islam limite à quatre le nombre des femmes et demande une égalité de traitement entre elles. D'autres religions, comme le christianisme retiennent la monogamie (qui est une monogynie et une monoandrie), c'est-à-dire le fait pour un seul homme de vivre avec une seule femme. Le terme de polygamie désigne une situation dans laquelle un homme peut se marier avec plusieurs femmes et une femme avec plusieurs hommes.

Un premier problème à évoquer est celui de la durée du mariage. Certaines civilisations n'autorisent pas le divorce : le catholicisme l'interdit en se fondant sur la parole du Christ : « ce que Dieu a uni, l'homme ne doit pas le séparer » (évangile selon Matthieu, XIX, 6). Le mariage doit alors durer toute la vie des époux. D'autres cadres admettent la répudiation (le renvoi du conjoint, le plus souvent de la conjointe). D'autres enfin reconnaissent le divorce pour faute ou par consentement mutuel. Il existe alors des procédures spécifiques qui permettent de rompre le mariage. On le voit, le mariage est une institution plus ou moins durable selon les situations.

Un des buts du mariage est de mettre en place un statut légal pour les enfants issus du mariage. Ceux-ci vont participer à la propriété commune et devenir les héritiers potentiels naturels. Cependant, le mariage n'est pas nécessairement lié à la naissance d'enfants. Dans toutes les civilisations, on connaît des personnes mariées qui par choix ou impossibilité n'ont pas d'enfant. Certes, cette situation est souvent dévalorisée. Mais, selon l'anthropologue Jacques Lombard, « chez les Nayars du Sud de l'Inde, il existe un rite de véritable mariage qui unit avant la puberté une jeune fille et un homme dont elle divorcera après la cérémonie. Dès lors, elle sera libre de contracter des unions passagères avec les hommes d'une caste définie et ses enfants seront reconnus par l'un de ses amants selon des règles particulières »[1]. Le mariage est alors complètement séparé de la procréation.

Une des questions qui se posent pour le mariage est celle du sexe des partenaires. On reconnaît généralement le mariage par la différence des sexes de ceux-ci. Mais, en fait, outre les revendications actuelles de mariages homosexuels ou lesbiens, le mariage n'entraîne pas toujours l'union d'un homme et d'une femme : « dans l'ancien Dahomey, en Afrique, une femme riche pouvait contracter une union avec une jeune fille, en versant à sa famille les prestations exigées, accordant ensuite celle-ci à un homme, sans prestation cette fois, de façon à conserver pour elle la descendance de ce couple »[2].

Tout mariage suppose le choix d'un conjoint. On parle à ce sujet d'endogamie ou d'exogamie. Si le conjoint est choisi au sein de son groupe d'appartenance, on parlera d'endogamie. S'il est choisi en dehors du groupe, il s'agira d'exogamie.

L'endogamie complète (mariage avec un proche parent) est en principe prohibée. C'est le tabou de l'inceste : on n'admettra pas le plus souvent les relations de la mère et du fils (mythe d'Œdipe), du père et de la fille, et entre frères et sœurs. Toutefois, contrairement à une opinion répandue, le principe de prohibition de

---

[1] Lombard (J.), *Introduction à l'ethnologie,* Paris, Armand Colin, Cursus, 1994, p. 52.
[2] *Ibid.*, p. 53.

l'inceste n'est pas identique dans toutes les sociétés. Au contraire, dans certaines civilisations, on favorisera les unions dites « préférentielles » entre cousins (un garçon avec la fille du frère de sa mère ou la fille de la sœur de son père).

Les liens d'alliance établis par un mariage peuvent se perpétuer au-delà de la rupture de ce mariage. Ainsi, l'Ancien Testament parle de la règle du « lévirat » : la veuve d'un individu va se remarier avec le jeune frère de celui-ci, et les enfants nés de ce nouveau mariage seront considérés comme issus du frère aîné décédé. On voit donc que le mariage ne crée pas seulement une situation nouvelle entre deux individus mais comporte une résonance sociale forte qui peut entraîner des pratiques endogames afin d'affirmer l'intégration sociale de tous.

L'exogamie consiste à prendre son conjoint en dehors de son lignage. Contrairement à ce qu'on a souvent affirmé, l'exogamie ne protège pas contre les périls supposés de la consanguinité, mais correspond à un principe d'échange, d'enrichissement personnel et collectif.

Margaret Mead a demandé à un Arapesh de reproduire un dialogue avec un individu qui voudrait épouser sa propre sœur : « Tu voudrais épouser ta sœur, qu'est-ce qui te prend ? Tu ne veux pas avoir de beau-frère ? Tu ne comprends donc pas que si tu épouses la sœur d'un autre homme et qu'un autre homme épouse ta sœur, tu auras au moins deux beaux-frères, alors que si tu épouses ta propre sœur, tu n'en auras pas du tout ? Avec qui iras-tu chasser, avec qui feras-tu les plantations, qui iras-tu visiter ? »[1]. On voit très bien que le principe d'exogamie s'oppose à la théorie de ceux qui considèrent qu'on aime mieux sa sœur, que sa cousine, que sa voisine, que l'étrangère,… Le principe d'exogamie implique toutes une série de relations sociales nouvelles qui vont permettre de mieux réaliser sa vie.

Si l'exogamie en ce qui concerne les parents proches est requise par le droit civil français, il n'en va pas de même d'autres formes : ainsi la suspicion soulevée par ce qu'on appelle curieusement les « mariages mixtes » (mariages entre personnes de religions, langues, civilisations différentes). En fait, à la différence des sexes près, il y a souvent « homogamie » (mariage avec le semblable). Cette homogamie est d'abord d'ordre géographique : un grand nombre de mariages se fait entre personnes proches géographiquement par le lieu de naissance ou de travail et d'études. Ensuite la plupart des gens se marient au sein de leur catégorie sociale, voire, depuis que les femmes travaillent, de leur profession. Les loisirs, qui sont des lieux de rencontres importants, sont également marqués socialement, où l'on se retrouve « entre soi ». Ainsi l'exogamie est-elle très relative dans nos sociétés.

GROUPE DOMESTIQUE

On peut distinguer plusieurs types de groupes domestiques :

La famille indivise (parfois désignée comme famille étendue) réunit dans la même maison deux grands-parents, tous leurs enfants mariés qui ont eux-mêmes

---

1 Cité par Mendras (H.), in : *Éléments de sociologie*, Paris, Armand Colin, Collection U, 1989, p. 151.

des enfants et éventuellement des arrière-petits-enfants. C'est donc un groupe nombreux. L'idée de famille indivise indique que participent également à la structure les domestiques qui n'ont pas de lien de sang avec le reste de la famille. Les domestiques font partie de la famille au sens de groupe domestique. Cette famille est également appelée patriarcale du fait du rôle de l'aïeul masculin unique. Au contraire, pour les autres générations, le fait d'être marié ne permet pas de créer sa propre structure familiale. Chaque cellule conjugale n'est qu'un élément de l'ensemble.

La famille souche concerne également un groupe domestique à trois ou quatre générations, mais à chaque génération un seul couple marié reste à la maison. Les autres enfants et petits-enfants mariés vont vivre ailleurs. Les non mariés peuvent rester dans la famille souche. L'idée essentielle ici n'est plus de réunir la plus grande partie d'une descendance mais de transmettre un patrimoine de génération en génération. Ne pouvant garder tout le monde et ne voulant pas diviser le patrimoine, la famille souche retient un couple par génération.

La famille conjugale (ou nucléaire) comprend le père, la mère et les enfants non mariés. Il n'y a que deux générations. C'est le revenu du travail d'un des parents (et de plus en plus souvent des deux) qui permet la vie économique du groupe domestique. Le patrimoine n'est plus une référence essentielle. Cette famille conjugale est beaucoup plus mobile que les modèles précédents.

Si l'on compare les schémas correspondant aux trois types des groupes domestiques considérés précédemment et qui se sont historiquement succédé, on constate la simplification croissante de la typologie. Comme on le verra avec les formes contemporaines de famille, cette simplification n'est pas achevée. A la famille avec deux parents, on peut ajouter la famille monoparentale (un seul parent, le plus souvent la mère et des enfants, mais pas nécessairement tous ceux de la mère) et même ce que certains sociologues désignent sous le terme humoristique de « famille monoparentale sans enfant » : il s'agit alors des gens qui vivent seuls et qui sont cependant désignés par l'Institut National de la Statistique et des Études Économiques (INSEE) comme des « ménages ». Les personnes qui vivent seules constituent la majorité de la population parisienne par exemple. D'un autre côté, la structure des familles est rendue plus complexe par des recompositions diverses.

LA FAMILLE AUJOURD'HUI

L'évolution des structures familiales dans les pays développés aujourd'hui est notamment dépendante de celle de la démographie. Après la génération du « *baby-boom* » (des années 1940 aux années 1960) qui correspond au modèle de la famille conjugale, on assiste à une baisse de la fécondité aux alentours de 1965. Le taux actuel de fécondité est trop faible dans les pays d'Europe de l'Ouest en général pour assurer le renouvellement de la population[1]. Il faut en effet 2,1 enfants par femme pour assurer ce renouvellement (compte tenu de la

---

[1]   cf. Matthiessen (P.Ch.), *Rapport pour le séminaire sur les tendances démographiques actuelles et modes de vie en Europe*, Strasbourg, Conseil de l'Europe, septembre 1990.

proportion de garçons à la naissance et de la mortalité avant l'âge de maternité).
En France, le taux de fécondité est tombé depuis les années 1970 en dessous
de 2. Après avoir stagné aux environs de 1,8, il connaît depuis 1992 une
nouvelle baisse : 1,65 en 1993 et semble se stabiliser à 1,7 à la fin du XXe
siècle.

Le taux de fécondité estimé à un moment donné ne rend qu'imparfaitement
compte de la réalité de la descendance. Il faut analyser les choses en termes de
« descendance finale ». On obtient la descendance finale en additionnant non
pas les taux de fécondité d'une année par classe d'âge, mais les taux observés à
chaque âge dans une génération de femmes durant toute sa vie féconde. En effet,
certaines femmes peuvent avoir retardé l'âge de leurs grossesses. Cependant, là
encore, les choses ont changé. La descendance finale des femmes nées au début
du XXe siècle était de 2,2 enfants. Elle s'est élevée à 2,6 pour celles nées dans
les années trente. Elle a à nouveau fléchi pour les femmes nées dans les années
cinquante : 2,1. La France n'est pas complètement menacée de dépopulation
comme le craignent certains hommes politiques natalistes, mais il est certain que
le strict remplacement des générations ne permet pas d'envisager une croissance
importante de la population.

Les motifs qui ont conduit à ce changement dans la fécondité sont nombreux.
On met généralement en avant la régulation des naissances et l'accès plus facile
à la contraception et à l'avortement à partir des années soixante et soixante-dix.
Ces éléments ont évidemment joué. Mais on peut remarquer que l'Italie qui a
longtemps interdit ces pratiques a connu une chute de la fécondité plutôt plus
importante que d'autres pays équivalents.

En fait, c'est globalement l'élévation du niveau de vie et d'instruction et la
participation des femmes à la vie économique et sociale qui, partout dans le
monde, conduit à une fécondité réduite. Contrairement à ce qu'on pourrait
penser, à part dans certaines situations idéologiques et religieuses spécifiques,
on fait d'autant plus d'enfants qu'on est plus pauvre : on espère ainsi qu'au moins
un des enfants, ou la masse des enfants, pourra vous prendre en charge au
moment de la vieillesse. Au contraire, dans des situations de revenus importants
et de garanties sociales développées (sécurité sociale pour la santé et la retraite)
on engendre moins d'enfants alors que les moyens de les nourrir et de les
éduquer sont plus importants. On peut noter que les populations immigrées en
France qui ont souvent l'habitude des grandes familles et d'un taux de fécondité
élevé, se situent dans la moyenne nationale dès la deuxième génération.

Si moins d'enfants naissent en France (712 000 en 1993 contre 858 000 en
1950), en revanche leur espérance de vie est beaucoup plus grande. Le taux de
mortalité infantile, en France, était de 52,3 pour mille en 1950. Il est passé à
18,2 en 1970, 7,3 en 1990, 6,5 en 1993 et 4,9 en 1996. L'espérance de vie à la
naissance était de 54 ans pour les hommes (genre masculin) en 1930 ; elle est
passée à 67 ans en 1960, à 73 ans en 1992 et 74 ans en 1996. Pour les femmes,
l'évolution est plus marquante encore : il y avait en 1930 une différence de 5 ans
en leur faveur : 59 ans d'espérance de vie. En 1960 l'espérance de vie des
femmes était de 74 ans. En 1992, elle est passée à 81 ans, et 84 ans en 1996 soit
8 ans de plus que les hommes. Au début du XXIe siècle, on gagne environ trois
mois d'espérance de vie par an.

La conséquence du double phénomène de la baisse de la fécondité et de l'augmentation de l'espérance de vie, est le vieillissement de la population :

TABLEAU V

La population française par tranches d'âge (en %)

Année	1946	1975	1997
0-19 ans	29,5	30,7	25,9
20-59 ans	54,4	50,3	53,8
60 ans et +	16,0	19,0	20,3

On le voit, la proportion de moins de vingt ans diminue, tandis que celle des plus de 60 ans augmente notablement. En 1950, il y avait un retraité pour quatre actifs. En 2015, il y aura un retraité pour deux actifs.

Tous ces éléments encadrent des pratiques renouvelées vis-à-vis du mariage et du divorce notamment, tandis que se développent des formes de cohabitation ou de familles recomposées inédites jusqu'alors. Finalement, selon le titre d'un livre de Louis Roussel, on se trouve devant une famille incertaine[1].

Tout d'abord, le nombre des mariages a considérablement chuté dans la fin des années soixante-dix et les années quatre-vingts : il y avait 394 000 mariages par an en 1970, et seulement 334 000 en 1980. Le seuil le plus bas a été 271 000 en 1988. En 1992 on a enregistré 281 000 mariages. Il y a donc une relative stabilisation, mais le taux brut de nuptialité (nombre de mariages dans l'année pour 1 000 habitants) est passé de 7,8 en 1970 à 6,2 en 1980 et 4,7 en 1992.

L'âge moyen au premier mariage, lui n'a cessé d'augmenter. Pour les femmes, il était de 22,4 ans en 1970, 23 ans en 1980 et 26 ans en 1992. Pour les hommes, l'âge au premier mariage était plus élevé encore : 24,4 ans en 1970, 25,2 ans en 1980, 28 ans en 1992. On se marie moins et on se marie plus âgé. De surcroît, le mariage n'est plus considéré comme une institution devant régir les rapports des époux pour toute leur vie.

Le nombre des divorces est en constante augmentation : 39 000 divorces par an en 1970, 81 000 en 1980 et 108 000 en 1991. En 1995, on comptait 39 divorces pour 100 mariages. Jusqu'en 1975, le droit civil français n'admettait que le divorce pour faute. Depuis lors, le divorce par consentement mutuel est possible et concerne un peu plus de la moitié des procédures de divorces (53,4 % en 1989). Le taux de divortialité annuel est ainsi passé de 33 pour dix mille en 1970, à 63 en 1980 et 108 pour dix mille en 1992. Encore faut-il noter que les divorces augmentent surtout chez les jeunes couples mariés depuis moins de cinq ans alors qu'ils se sont stabilisés chez les couples ayant entre dix et vingt ans de vie commune. On voit aussi des divorces du troisième âge.

Une des conséquences des divorces non suivis de remariage est la multiplication des familles monoparentales. Ces familles constituaient 4,4 % des ménages en 1970, 4,5 % en 1980 mais 6,8 % en 1992. En 1990 sur 16 922 720 enfants de 0 à

---

[1] Roussel (L.), *La Famille incertaine*, Odile Jacob, 1989.

24 ans, alors que 15 024 872 vivaient avec leurs deux parents, 1 897 848 vivaient dans une famille monoparentale dont 1 654 616 chez leur mère vivant seule et 243 232 chez leur père vivant seul (les autres enfants concernés vivant hors famille). On le voit, la grande majorité des familles monoparentales est constituée de femmes vivant avec leurs enfants. Cela est dû au fait que la garde des enfants est plus souvent demandée et accordée aux femmes et que les femmes divorcées sont moins nombreuses à se remarier que les hommes.

A côté du mariage se développent des formes nouvelles de cohabitation. On a d'abord désigné ce phénomène sous le vocable de « cohabitation juvénile » : on pensait alors (dans les années soixante/soixante-dix) que les relations sexuelles hors mariage intervenant plus fréquemment et plus jeune, et le mariage étant réalisé plus âgé, on aurait une phase intermédiaire, une sorte de « mariage à l'essai » mais qui devait déboucher à terme sur le « vrai » mariage. Le droit français entendait de manière péjorative la notion de « concubinage notoire » qui ne pouvait désigner qu'une situation moralement désapprouvée.

En fait, les cohabitations juvéniles se sont prolongées. On a ensuite pensé que la naissance d'enfants amènerait ces couples à « régulariser » par le mariage. En réalité, le nombre d'enfants nés hors mariage ne cesse de croître. Dans les pays scandinaves, près d'un enfant sur deux naît hors mariage. En France, les naissances hors des liens du mariage étaient à peine supérieures à 5 % dans les années soixante et les « filles-mères » étaient stigmatisées. C'est dans les années soixante-dix qu'on dépasse les 10 %. Les 20 % sont atteints dans les années quatre-vingts. En 1989, 28 % des naissances avaient lieu hors mariage. On en était à 31,9 % en 1992 soit presque un tiers des enfants nés cette année-là. Il y a là un phénomène de masse qui interroge la famille conjugale traditionnelle.

Actuellement, les cohabitations hors mariage concernent près de 15 % des couples en France. Près de 40 % des couples non mariés vivent avec un ou plusieurs enfants. Le concubinage ou union libre est devenu une forme parmi d'autres de vie sociale. Certains droits sont accordés aux concubins en matière de sécurité sociale et parfois de retraite, mais en matière de successions ceux-ci sont considérés comme des étrangers l'un à l'autre. Le phénomène du concubinage concerne également aujourd'hui des couples homosexuels et lesbiens qui vivent ensemble et souhaitent acquérir un statut social. C'est pourquoi des projets de statut du concubinage hétérosexuel et homosexuel ont été avancés : il s'agit en France de la proposition de loi instituant un « pacte civil de solidarité » (Pacs) et en Belgique du projet de « contrat de vie commune ». Le Danemark, pour sa part, reconnaît un partenariat civil pour les homosexuel(le)s.

Les structures familiales connaissent donc une évolution considérable, cependant que se développe également la proportion de personnes vivant seules. Dans le passé, cette situation était regardée avec condescendance ; on plaignait les « vieilles filles » par exemple. En 1970, 22 % des ménages (au sens de l'INSEE) étaient constitués d'une seule personne. En 1980, on est passé à 24,6 % pour atteindre 27,1 % en 1992. Comme on l'a dit, certaines grandes villes comme Paris connaissent une majorité de leur population vivant seule. Les causes de ce phénomène sont multiples : la différence d'espérance de vie entre hommes et femmes crée un veuvage des femmes plus important que celui des hommes. Certains jeunes préfèrent habiter seuls (encore que la présence chez les parents jusqu'à un âge avancé s'accroisse). Des adultes choisissent de vivre seuls de manière définitive ou avant et après des périodes de cohabitation (dans le mariage ou non).

On s'aperçoit aussi que beaucoup de familles sont des « familles recomposées »[1]. Le groupe domestique vivant sous le même toit n'est plus toujours lié par le mariage et la filiation. De nouvelles formes d'organisation familiale se manifestent dans lesquelles la parenté biologique ne se confond pas avec la parenté sociale. Il s'agit souvent de situations où, après séparation des parents, la présence de nouveaux conjoints, de demi-frères et de demi-sœurs crée des réseaux de parenté complexes. Des couples d'homosexuels et de lesbiennes revendiquent le droit d'établir une parenté par l'intermédiaire de l'adoption ou de la procréation médicale assistée.

L'élément groupe domestique est dominant dans ce type de structures : ceux qui comptent vraiment sont ceux avec qui l'on vit. Mais la rupture avec la famille antérieure (notamment celle de l'autre parent avec qui on ne vit pas) n'est pas toujours la norme et l'on assiste à la création de quasi-parent, un peu sur le mode du parrainage. Dans certains cas, on peut parler de parenté élective.

Dans le même sens, dans ce cadre, les grands-parents dont le rôle avait été réduit dans la famille conjugale retrouvent une place essentielle ; d'abord parce que l'abaissement de l'âge de la retraite et l'accroissement de l'espérance de vie en bonne santé leur donne du temps. Ensuite, parce que, face aux recompositions, et notamment aux déchirements qui peuvent survenir entre les parents, les grands-parents apparaissent parfois comme le seul élément stable de la structure familiale[2].

Les mutations de la famille sont, on le voit, considérables. Tout comme le reste de la société, la famille apparaît de plus en plus comme un réseau forgé à partir de liens dont le statut juridique est très diversifié. Le modèle conjugal (papa-maman-et-les-enfants) n'est plus le modèle unique. L'évolution n'apparaît plus seulement comme un processus de décomposition/recomposition, mais comme une sorte de mouvement perpétuel, d'ajustement permanent. Face aux situations instituées et hiérarchisées qui ont marqué le cadre familial pendant des millénaires, commencent à se manifester des réseaux familiaux qui se constituent sur la base de la convivialité. Cela n'est pas exempt de difficultés et de conflits, mais permet cependant d'assurer certaines références dans une société marquée par l'instabilité.

Plus que jamais le mot famille doit être décliné au pluriel. Le pluralisme des modèles familiaux est le seul élément qui permette de comprendre l'attachement à la valeur-famille. La famille n'apparaît plus comme un modèle figé que l'on doit respecter avec ses obligations, mais comme un des éléments évolutifs de la vie sociale. Certains peuvent choisir le mariage sans rupture possible de la religion catholique (ce sont les mariages religieux qui avait beaucoup baissé a tendance à remonter en France) ; d'autres peuvent vouloir

---

[1] cf. *Les Familles* ... de Meulders-Klein (M.Th.) et Théry (I.), Nathan, 1993.

[2] cf. Royal (S.), *Le ... parents, la nouvelle alliance des âges*, Paris, Laffont, 1987.

vivre seuls. Tel se mariera, divorcera, vivra en concubinage, aura des enfants à chacune de ces occasions, élèvera les enfants de ses conjoints successifs.

Contrairement à ce que certains ont pu penser à la suite de Mai 1968, la famille n'est pas morte, mais elle a pris des atours si variés qu'il est difficile de la désigner de manière simple.

Chapitre 8

FONDEMENTS
DES CONDUITES SOCIALES

Les conduites sociales dépendent évidemment des choix des individus, des désirs qui sont les leurs, des passions qui les animent ou des angoisses qui les hantent. Mais il y a un certain nombre de phénomènes sociaux qui encadrent ces conduites : ce sont tout d'abord les normes sociales qui conduisent à des règles et à des modèles, qui produisent des besoins. Ce sont les valeurs qui sont à la base de ces normes, qui systématisent ces normes. Face à cela, on peut se situer dans un processus de socialisation et d'intégration sociale ou au contraire dans un phénomène de déviance contre les normes, voire d'anomie quand les normes disparaissent.

NORMES

Observons comment les étudiants se saluent à l'université. Le plus souvent, dès qu'on se connaît un peu, on s'interpelle en utilisant le prénom de chacun(e), les garçons se serrent la main, les garçons embrassent les filles et les filles s'embrassent entre elles. Avant 1968, dans les facultés, il était extrêmement rare que l'on s'appelle autrement que par son nom de famille et que l'on s'embrasse.

En Inde, la manière la plus courante de se saluer consiste à joindre les mains et à incliner la tête. Au Maghreb, on porte la main à son cœur après avoir serré celle de celui qu'on salue. En Mélanésie, on se frotte mutuellement le nez.

On vient de découvrir quelques unes des normes qui inspirent toute conduite quotidienne et qui varient évidemment dans le temps et dans l'espace. Les normes comprennent toutes les règles, écrites ou non qui assurent l'homogénéité, le contrôle, la régularité des conduites sociales. Toutes les conduites sociales sont issues de normes. On imagine mal les étudiants français se frotter le nez à la porte de l'amphithéâtre. Sans doute le fait que les garçons ne s'embrassent pas correspond-il à une certaine conception de la virilité, mais dans d'autres civilisations ce sera au contraire le fait de s'embrasser chaleureusement qui sera une marque de virilité.

Les normes sont en fait le prolongement de valeurs sociales (voir plus loin) qu'elles expriment. Les valeurs s'incarnent dans les normes et prennent alors un caractère obligatoire. De ce fait, les normes ont toujours pour contrepartie des sanctions. Les sanctions les plus sévères peuvent être pénales, mais il existe également de nombreuses sanctions moins explicites : ainsi l'étudiant qui ferait le poirier dans le bus en venant à la fac recevrait-il la réprobation de certains, le dédain d'autres, l'indifférence de plusieurs et peut-être d'autres encore voudraient-ils l'exclure.

Les normes reflètent le plus souvent les opinions collectives d'une société donnée à un moment donné (voir le chapitre sur les opinions). Bien sûr, il peut y avoir des décalages : ainsi la majorité de la population française avait souhaité la dépénalisation de l'interruption volontaire de grossesse avant qu'elle ne soit réalisée en 1975.

Parmi les différents types de normes sociales, **les règles de droit** tiennent une place particulière. Ce sont les normes les plus extérieures aux individus puisqu'elles sont imposées par l'organisation sociale, le plus souvent étatique. Le droit énonce de manière précise les règles obligatoires et organise un système de sanctions à travers l'appareil répressif de l'État (police, justice, prison).

Les règles de droit sont donc les normes qui sont accompagnées des sanctions les plus fortes : jusqu'en 1981, en France, cela pouvait aller jusqu'à la peine de mort. Dans le passé, on a connu la torture, le bannissement, le bagne. Le droit iranien actuel prévoit la lapidation de la femme adultère et l'amputation de la main du voleur. Aujourd'hui, en France, la peine maximale est la réclusion criminelle à perpétuité.

Les règles de droit n'ont pas une origine unique. Certaines idéologies veulent faire croire qu'il existe un droit immuable, une sorte de « droit naturel » qui s'imposerait à tous les hommes à toutes les époques. En réalité, les règles de droit sont variables en fonction des mœurs, des coutumes, des opinions, des modes de vie, qui eux-mêmes évoluent. Même dans une période où les valeurs des droits de l'homme semblent dominantes, leur traduction en normes juridiques est entendue différemment suivant les pays ou les conceptions politiques défendues.

Les techniciens du droit (législateur, gouvernement, administration, juges, avocats, professeurs de droit et tous autres « juristes ») jouent un rôle particulier dans la définition des normes juridiques. Quand un État se crée, comme c'est le cas de la Palestine au début du troisième millénaire, il faut recenser les éléments juridiques hérités des situations antérieures diverses (droits ottoman, britannique, égyptien, jordanien, israélien...) et faire des choix. Le rôle des juristes qui opèrent ce travail n'est pas qu'un rôle technique. De l'orientation, de la fiabilité de leur action dépendront les choix politiques futurs.

L'application du droit, telle qu'elle est mise en œuvre par les juges à travers la jurisprudence des tribunaux, influe également sur la règle de droit : certaines règles seront appliquées avec sévérité, d'autres avec laxisme en dépit de la loi, selon l'opinion dominante des juges à un moment donné.

On voit même des règles de droit tomber en désuétude faute d'application. Ainsi le délit de vagabondage commis par « les gens sans aveu », prévu par les articles 269 et suivants du code pénal français en vigueur jusqu'en 1994, et pouvant entraîner jusqu'à six mois de prison n'était-il plus appliqué. Le nouveau code pénal, entré en vigueur le 1er mars 1994, supprime ce délit.

Ou encore, les lois prévues par le code de la santé publique (articles L 627 et suivants) et réprimant l'usage de stupéfiants sont actuellement partiellement inappliquées lorsqu'il s'agit de simple consommation de cannabis. La remise en cause sociale de la norme en ce qui concerne les drogues dites douces conduit à une remise en cause de la règle de droit. Le débat politique et juridique est loin d'être achevé sur les drogues, mais déjà certains aménagements pratiques sont effectués (non-poursuite pénale, drogues de substitution sous contrôle médical).

A côté des règles de droit, **les modèles sociaux** ont une fonction importante pour la définition des normes sociales. Les modèles jouent un rôle exemplaire pour les conduites collectives. Il s'agit de s'identifier à telle personne ou à tel type de comportement. Ici, la sanction n'est pas essentiellement juridique, mais n'en existe pas moins.

En matière d'habillement par exemple, la différenciation des sexes a longtemps été très forte. Les hommes s'habillaient d'une façon, les femmes d'une autre. Si l'évolution a conduit à une mode unisexe (voir plus loin l'idée de mode), on n'aboutit pas à l'indifférenciation généralisée : les femmes ont acquis le droit de porter à peu près tous les vêtements considérés comme masculins. En revanche, les hommes ne portent presque jamais des vêtements féminins tels que jupes ou robes.

Tous les modèles, même ceux qui semblent avoir une forme très technique, ont en réalité une base culturelle : ce n'est pas par facilité technique pour la pratique de la vie quotidienne que les hommes portaient des pantalons et les femmes des robes. Il y a derrière tout cela des représentations collectives qui impliquent certaines conceptions du masculin et du féminin et des rapports entre les sexes.

Certains modèles jouent un rôle paroxystique : ainsi les martyrs, les saints, les kamikazes mettent-ils en avant des pratiques qui serviront de référence et de norme mais qu'eux seuls peuvent réaliser jusqu'au bout.

A l'inverse, certains modèles concernent des façons quotidiennes de se comporter dont le plus souvent l'individu n'a même pas conscience.

Les phénomènes de mode concernent des modèles éphémères. On sait à l'avance que le modèle présenté disparaîtra rapidement et sera remplacé par un autre. L'idée est alors celle de la création et de la diffusion rapides de normes. Mais la recherche de la nouveauté n'est pas le seul élément qui joue dans la mode. Les statuts sociaux, le prestige, la *distinction* selon le mot de Bourdieu, sont en cause.

Les phénomènes de mode vestimentaire permettent de montrer ce rôle : la haute couture définit des modèles (et fait défiler des modèles !) qui s'adressent en fait à une catégorie privilégiée de la population. Les usagers des produits de haute couture vont pouvoir manifester leur place sociale, leur prestige. Dans un deuxième temps, les modèles de haute couture sont repris par le prêt-à-porter pour une clientèle plus large qui veut imiter les catégories privilégiées et ainsi rehausser son statut. Il va de soi, qu'entre-temps, la haute couture aura défini de nouveaux modèles, faisant ainsi évoluer la mode.

Toutefois, tous les phénomènes de mode ne sont pas liés à des processus aussi complexes : on voit ainsi apparaître et disparaître régulièrement, dans les cours d'école, la mode des scoubidous ou des billes. Telle musique sera la danse d'un été. Le *jeans,* d'abord manière de refuser les critères de la mode, est devenu la norme quasi obligatoire pour une très forte proportion de la population. Cependant, on voit renaître la *distinction* à travers la concurrence des marques et des coupes. La norme *jeans* est elle-même contestée.

Les besoins forment avec les règles de droit et les modèles une troisième catégorie de normes sociales. Ces normes définissent les éléments nécessaires pour assurer le fonctionnement de la vie sociale. Les besoins sont essentiellement subjectifs et, contrairement à l'opinion courante, il est très difficile de définir des besoins objectifs. Ces besoins objectifs ne pourraient être que ceux qui assurent la survie des hommes : il s'agirait alors de l'alimentation minimale et de la protection contre la chaleur, le froid ou les intempéries. Mais là aussi, on sait que les normes sont très diverses. Tel résistera au grand froid, tel autre pas. Tel survivra avec très peu de nourriture, tel autre pas. Les besoins varient donc selon les sociétés : la diversité des modes d'alimentation à travers le monde en est une démonstration éclatante. Ici on voudra du pain, là du riz,… La nourriture, qui découle de la cueillette et de l'agriculture, organise les besoins sur un mode totalement culturel.

Les besoins sont largement produits par l'offre. Dans les sociétés développées, la publicité accentue ce phénomène. On désire telle chose que l'on croit nécessaire parce qu'on l'a vue à la télévision ou chez quelqu'un d'autre. Les besoins qui sont à la base des aspirations, deviennent des obligations, fruits de la production. Mais les besoins sont également dépendants de la situation dans laquelle on se trouve. N'importe qui ne désire pas n'importe quoi : ainsi, dans une enquête sur l'administration culturelle des collectivités territoriales[1], il était frappant de constater que la plupart des responsables de service culturel demandaient environ 2 000 F d'augmentation alors même que les salaires réels variaient parfois du simple au triple. Autrement dit, le besoin de chacun n'était pas d'atteindre un plafond de ressources mais d'obtenir une meilleure reconnaissance de son travail par une augmentation, qu'il soit bien ou mal payé auparavant.

Ceci conduit à évoquer ce qu'on appelle les besoins latents. Derrière la demande de gratification monétaire, peut se cacher un besoin moins clairement exprimé de reconnaissance globale ou de conditions de travail différentes : ainsi le temps disponible, l'espace (d'habitation, de vie, la proximité de la ville ou de la campagne) apparaissent-ils également comme des besoins.

VALEURS

Les conduites sociales sont largement déterminées par des normes qui les systématisent. Ces normes sont elles-mêmes dépendantes des valeurs qui traversent une société. Les valeurs existent dans la conscience collective. Dans cette

---

[1] Ignasse (G.), et Génissel (M.A.), *L'Administration culturelle des collectivités territoriales*, Éditions de l'Espace Européen, 1991.

conscience, elles représentent des manières d'être ou d'agir que l'on reconnaît comme idéales.

Ainsi, les valeurs servent de référence pour juger ce qui est bien, ce qui est beau, ce qui est juste, dans une société donnée. On donne alors « de la valeur » aux personnes, aux conduites, aux objets qui sont représentatifs de ces valeurs. Les valeurs ne fonctionnent pas isolément mais en système. Toutes les valeurs ne sont pas mises sur le même plan. Certaines jouent un rôle central, voire dominant. Il y a donc une hiérarchie des valeurs. Dans le modèle de société soviétique, les valeurs centrales étaient celles que définissait le parti communiste. Sous l'Ancien Régime, en France, ces valeurs découlaient de la religion catholique, religion d'État. Dans la République islamique d'Iran, aujourd'hui, c'est également à partir de la religion que sont définies les valeurs centrales.

Les valeurs des sociétés sont donc variables selon les époques et les lieux. D'autre part, à l'intérieur d'un système de valeurs dominantes peuvent exister des contre-valeurs qui mettent en cause celles-ci : ainsi sous le capitalisme, les valeurs du socialisme ; ou encore, dans un régime d'ordre moral, l'idée de liberté des mœurs. Certaines contre-valeurs peuvent être considérées comme déviantes (voir plus loin). La coexistence de valeurs différentes se fait de manière plus ou moins harmonieuse selon le degré de tolérance d'une société.

On peut noter l'importance des valeurs religieuses dans la définition de nombreuses normes sociales. Rares sont les États, dans le monde, qui ont une conception laïque. Encore, nombre de leurs règles de fonctionnement découlent-elles indirectement du débat religieux. La force des valeurs religieuses les fait resurgir régulièrement dans la vie sociale des États quand d'autres références politiques disparaissent : ainsi la place de la religion en Europe de l'Est et particulièrement en Pologne après l'effondrement du communisme ; ou encore, le rôle joué par l'Islam dans certains pays du tiers-monde après les désillusions sur le développement qui ont suivi les indépendances.

Cette force des valeurs religieuses vient du fait qu'elles se présentent comme quelque chose de sacré, de surnaturel, qui s'impose aux hommes. Les valeurs religieuses s'inscrivent dans des dogmes qui sont les objets de croyance de chaque religion : ainsi l'unicité de Dieu dans le judaïsme ou l'islam, ou la trinité (Dieu, père, fils et esprit) pour le christianisme. Ces dogmes impliquent des prescriptions morales (les dix commandements de Moïse, les définitions du pur et de l'impur pour l'hindouisme,…).

Les valeurs religieuses s'expriment à travers des rites : prières, gestes, sacrifices, pèlerinages,… Le rite solitaire (prière personnelle) ou collectif (liturgie, c'est-à-dire service du culte) permet de rappeler et de mieux intégrer les valeurs religieuses, surtout s'il est accompagné de sermons, prêches et autres.

Les valeurs religieuses jouent un rôle dans l'organisation sociale en légitimant tel type de structuration ou en faisant désirer tel autre. Max Weber a montré comment l'éthique protestante était à la base de l'esprit du capitalisme[1] : l'esprit puritain qui valorise la besogne et freine la consommation permet d'accumuler la richesse et pose les bases du système capitaliste (cf. chapitre 1).

---

1 Weber (M.), *L'Éthique protestante et l'esprit du capitalisme*, 1905.

Des valeurs de type religieux se retrouvent dans des institutions qui ne sont pourtant pas religieuses ou même qui sont franchement athées. Ainsi, certains partis politiques demandent-ils une dévotion à la ligne qu'ils définissent qui n'a rien à envier aux dogmes religieux. Les rites qu'ils organisent (une caricature de ce phénomène se trouve dans les grandes fêtes nazies ou staliniennes) requièrent un déroulement aussi précis que les cérémonies religieuses.

Aujourd'hui, les valeurs centrales dans les sociétés contemporaines se partagent essentiellement, depuis l'effondrement du communisme, entre un retour des valeurs religieuses (voire les formes d'intégrisme catholique, islamiste ou hindouiste par exemple) et l'idéologie des droits de l'homme.

Cette idéologie des droits de l'homme repose essentiellement sur deux valeurs qui sont à la base du système démocratique : la liberté et l'égalité. Ces deux valeurs sont nées, au Moyen Age, d'une réaction contre la société structurée en Ordres, privilégiant une toute petite partie de la population[1]. Les idées de liberté et d'égalité ont été à la base de la Révolution française de 1789.

La valeur « liberté » implique pour chacun le droit d'exprimer ses propres idées, de diriger sa vie, et plus généralement de faire « tout ce qui ne nuit pas à autrui » selon les termes de l'article 4 de la Déclaration des Droits de l'Homme et du Citoyen de 1789. Cette valeur entraîne un certain fonctionnement des normes juridiques qui garantit contre l'arbitraire, qui permet d'être défendu en justice. La liberté est aussi liberté religieuse, c'est-à-dire liberté d'avoir une religion, d'être agnostique (considérer que les questions relatives à Dieu sont du domaine de l'inconnaissable) ou athée. Cette valeur « liberté » est elle-même susceptible de plusieurs acceptions : certains mettront l'accent sur la liberté d'entreprise et donc refuseront des règles contraignantes pour l'organisation du travail. Au contraire, les syndicats considéreront que cette déréglementation menace la liberté des travailleurs.

La valeur « égalité » est devenue le corollaire et le complément de la précédente. Elle est d'abord apparue comme une pétition de principe contre les privilèges de l'Ancien Régime. Mais elle ne s'est imposée que progressivement comme égalité entre les citoyens (1793, mais il y aura des retours en arrière) et entre les hommes et les femmes (1945 seulement). Le socialisme et le communisme ont porté une conception plus large de l'égalité qui devait se réaliser également sur le plan économique, d'où l'idée d'un certain égalitarisme dans les revenus. Aujourd'hui l'égalité est essentiellement conçue comme égalité de droits (encore qu'elle ne s'applique pas aux étrangers, par exemple) et comme égalité des chances dans la vie.

Les valeurs des droits de l'homme sont explicitement formulées dans les sociétés démocratiques. Elles coexistent avec d'autres valeurs centrales qui ne sont pas toujours expressément mises en avant mais qui n'en jouent pas moins un rôle important.

Ainsi, à part le retour de la valeur « famille » (voir ce chapitre), la valeur « travail » est-elle un pilier essentiel de la société capitaliste. Cette conception est tout à fait contraire à l'idéologie aristocratique qui méprisait le travail et même

---

[1] cf. Ignasse (G.), *Institutions politiques et administratives*, 3e édition, Ellipses, 1994, chapitre 1,
     " Conceptions du pouvoir ".

aux fondements bibliques qui faisaient du travail une punition pour l'homme déchu du paradis terrestre (Genèse, III, 17). Alors que le plein emploi n'est plus réalisé, le travail apparaît comme une revendication première, comme le moyen essentiel de participer à la vie collective et si possible de s'épanouir personnellement.

Cette valorisation du travail s'accompagne d'un élément connexe qui est le culte de l'efficacité. L'idée d'une plus grande productivité, d'un rendement accru, est devenue dominante dans nos sociétés. L'idéologie technocratique, qui donne aux techniciens, aux spécialistes, un rôle prédominant, est la caricature de cette conception.

Cette mise en avant du travail et de l'efficacité ne va pas nécessairement dans le même sens que l'idéologie des droits de l'homme. Au nom du travail et de l'efficacité, on peut prôner une différenciation plus grande des salaires, la remise en cause du salaire minimum, ce qui contrevient à la notion d'égalité. De plus, les valeurs dominantes produisent des contre-valeurs : si le droit à la paresse ne semble pas prêt de supplanter la valeur « travail », le droit au loisir est en expansion. L'écologie et l'idée de « croissance zéro » remettent en cause le productivisme.

SOCIALISATION, INTÉGRATION

La socialisation, c'est le fait pour les individus d'apprendre et d'intérioriser les comportements que la société, dans laquelle ils se trouvent, valorise. Ce processus se réalise tout au long de la vie par ajustements successifs, mais certains moments sont plus spécifiques, comme par exemple la socialisation primaire de l'enfance.

La socialisation dans l'enfance, consiste d'abord à apprendre des gestes (propreté, nourriture), des manières de se comporter en société (saluer, remercier), le langage (parlé puis écrit). Cela se fait aussi bien par imitation (l'enfant reproduit ce qu'il voit et entend) mais aussi par la contrainte (ce qui est permis et ce qui ne l'est pas). Ainsi va se faire l'apprentissage des normes et des valeurs dominantes dans la société où vit l'enfant. Dans ce cadre, les principaux agents socialisateurs sont la famille et le système scolaire, et le cas échéant la religion. Plus généralement, tout groupe va jouer un rôle socialisateur.

Chaque culture valorise tels ou tels comportements et présente ceux-ci comme évidents, comme dépendants d'une sorte d'instinct. Ainsi, l'instinct maternel a-t-il été longtemps annoncé comme la base de l'amour des enfants qui permet aux mères d'éduquer ceux-ci. En fait, comme l'a montré Élisabeth Badinter[1], l'amour maternel relève d'un comportement social, variable selon les époques et les mœurs. Jusqu'au XXe siècle, on mettait fréquemment les enfants de familles riches en nourrice à la campagne. Les mères s'en désintéressaient totalement. A la campagne, précisément, les petits enfants étaient souvent abandonnés toute la

---

[1] Badinter (É.), *L'Amour en plus, histoire de l'amour maternel, XVIIe-XXe siècle*, Flammarion, 1980.

journée, accrochés au mur pour qu'ils ne s'étouffent pas, tandis que les adultes étaient aux champs.

Avant même et pendant la scolarisation, c'est aussi par le jeu que l'enfant va apprendre les rôles qu'il convient de tenir dans son milieu. On a vu qu'en anglais, deux mots désignent le jeu : *play* et *game*. *Play* concerne le jeu libre où l'enfant joue avec lui-même ou avec un personnage qu'il crée, s'attribuant à lui-même un ou plusieurs rôles. Le *game* est un jeu organisé avec des règles précises auxquelles chacun doit se conformer : les jeux éducatifs, les jeux de société ont notamment cette fonction d'apprendre à l'enfant des comportements structurés. Il en va de même des récits, contes et légendes que l'on peut raconter aux enfants : la part de rêve qui y est incluse est complétée par un apprentissage des rôles, par exemple du bon et du méchant, donc du bien et du mal.

Il va de soi qu'une grande part du processus de socialisation se fait de manière inconsciente. Par exemple, l'enfant ne sait pas qu'il a appris telle langue plutôt que telle autre parce que ses parents la parlaient. La psychanalyse, avec Sigmund Freud (1856-1939), a cherché à expliciter le fonctionnement de la structure psychologique des individus en tenant compte de ce phénomène : au cœur de l'univers psychologique de chacun il y a le « ça » qui correspond au noyau des pulsions primitives. Le « ça » est recouvert par le « sur-moi » qui forme une enveloppe d'inhibitions chargées de réguler le « ça ». N'apparaît de manière consciente et socialisée que la couverture extérieure : le « moi ». Ainsi, l'enfant régule ses pulsions à partir des apprentissages qu'il réalise, des interdits qui lui sont imposés, et construit sa personnalité selon les normes et valeurs qu'il intègre.

A l'âge adulte, les problèmes de socialisation sont différents et souvent désignés comme processus d'intégration. Tout d'abord, pour tout individu, la socialisation est un phénomène de toute la vie puisqu'il va falloir s'adapter à des situations nouvelles. Ceci est particulièrement vrai dans les sociétés où le changement social est important.

Mais, il peut aussi y avoir des phénomènes de passages d'un groupe à un autre qui requièrent des modifications de comportement : c'est ce que l'on appelle les phénomènes de survenance. Les exemples de survenances les plus typiques sont l'immigration, le service militaire, l'entrée dans le système scolaire (de la maternelle à l'université), l'entrée dans le monde du travail.

Les survenants (ceux qui changent de situation) vont devoir apprendre de nouveaux comportements du fait du nouveau cadre dans lequel ils se trouvent. Mais les survenants vont conserver certaines caractéristiques culturelles propres. S'ils acquièrent la plus grande part des normes, valeurs et comportements de leur milieu d'adoption, on dira qu'ils sont acculturés à celui-ci. Dans le passé, les pays colonisateurs ont souvent voulu acculturer les colonisés par une occupation militaire et administrative, mais aussi en imposant leurs façons de vivre et de penser.

La question de l'acculturation a rejailli dans les pays occidentaux à propos des populations immigrées. Certains considèrent que les immigrés doivent être complètement assimilés, c'est-à-dire qu'ils doivent renoncer à toutes leurs spécificités culturelles. Ce discours s'accompagne souvent d'une attitude d'exclusion vis-à-vis des immigrés qui refuseraient cette assimilation. Ce serait là la forme la plus achevée de l'acculturation. Le modèle anglo-saxon avec ses quartiers spécifiques dans les villes met plutôt l'accent sur la coexistence de communautés gardant chacune leurs spécificités. Le modèle d'intégration veut se situer entre ces deux extrêmes : apprentissage des valeurs essentielles de la société d'accueil notamment par l'école, et reconnaissance de la diversité des cultures et des religions.

DÉVIANCE, ANOMIE

La déviance est en quelque sorte le revers de la socialisation. Elle apparaît, au premier abord, comme une manifestation de l'échec de cette socialisation. La déviance consiste à s'écarter des normes. La déviance peut tout d'abord apparaître comme une menace pour l'ordre social, mais elle peut aussi contribuer au changement social. De toutes façons, la notion de déviance est relative à l'état des normes dans chaque société : tel comportement sera considéré comme déviant ici, comme normal, là. D'autre part, telle attitude considérée comme déviante à un moment donné peut devenir la norme ensuite : par exemple, le port du *jeans* ou de telle longueur de cheveux ; ou encore les dissidents en Union soviétique avant et après la chute du communisme ; enfin, des Résistants peuvent être considérés d'abord comme des terroristes puis comme des héros.

Il peut exister deux types de déviances : les déviances positives et les déviances négatives. Les déviances positives sont plus rares et en général ne sont pas considérées comme des déviances : il s'agit du cas des héros, des saints, des martyrs, qui ont des comportements hors de la norme, mais qui cherchent à se rapprocher de l'idéal collectif. Au contraire, les déviances négatives s'opposent aux normes pour des motifs beaucoup moins élevés.

Il ne peut y avoir de déviance absolue au plan individuel sauf à tomber dans la folie. En effet, la déviance absolue impliquant le rejet de toutes les normes, interdirait même l'usage d'un langage commun. De même le conformisme absolu est pratiquement impossible à réaliser du fait de la diversité des normes sociales et de la psychologie de chacun.

La déviance peut avoir plusieurs significations : on peut d'abord transgresser les normes sans chercher à les changer. On viole la règle sans faire montre de sa déviance et même en la cachant : c'est le cas du kleptomane et de ce qu'on appelle la déviance aberrante.

On peut aussi transgresser les règles ouvertement, dans le but de les changer. C'est ce qu'on appelle la déviance non-conformiste. Les 343 femmes qui avaient signé un manifeste indiquant qu'elles avaient avorté avant la dépénalisation de l'interruption volontaire de grossesse, ou les usagers de cannabis qui revendiquent leurs pratiques pour obtenir la dépénalisation des drogues entrent dans ce cas.

La déviance rebelle remet en cause non seulement les normes sociales mais l'autorité, le pouvoir qui les met en œuvre. La contestation porte alors, non seulement sur telle règle particulière mais sur l'ensemble d'un système social.

Les causes de la déviance sont multiples : trois études de la délinquance juvénile à Chicago à trois époques différentes montrent qu'il faut éviter les analyses trop simplistes[1] : en 1929, C. Shaw met en rapport le taux de délinquance et les quartiers habités. Dans les quartiers de pauvreté, dans les logements insalubres le taux de délinquance est fort : il conclue donc à la nécessité d'une politique sociale de l'habitat et à la construction d'équipements collectifs.

En 1958, Gluecks confirme les observations précédentes sur les quartiers défavorisés, mais note que la déviance n'affecte les jeunes que si la situation familiale détériorée les y prédispose. Il préconise donc une politique familiale et éducative.

En 1961, Cloward et Ohlin, enquêtant sur le même secteur, constatent que les jeunes sont souvent déviants faute d'avoir à leur disposition des moyens légaux : il prône des mesures socio-économiques. En fait, les trois approches se complètent et chacune ne rend compte que d'une des causes de la déviance.

Les sanctions prises contre la déviance peuvent être plus ou moins lourdes. Tout d'abord certains déviants peuvent échapper à toute sanction, soit par leur habileté propre, soit parce que la société hésite à les réprimer, ou ne fait guère d'effort pour rechercher les auteurs de telle infraction. Les sanctions les plus lourdes sont les sanctions pénales qui, dans certains pays, peuvent aller jusqu'à la mort et s'accompagner de tortures. L'échelle des peines dans chaque pays manifeste l'importance relative donnée à telle ou telle forme de déviance. Ainsi, sous l'Ancien Régime, en France, les peines les plus sévères étaient réservées aux crimes contre la religion. Certaines conduites déviantes peuvent faire seulement l'objet d'attitudes réprobatrices sans que cela n'entraîne de sanction juridique.

L'anomie désigne un état de dégradation des normes sociales qui va plus loin que la déviance. Au sens strict, l'anomie c'est l'absence de normes, de règles ou de lois. Il peut alors s'agir de sociétés entières qui ne sont plus organisées par aucune structure administrative ou politique et où aucune règle établie et acceptée ne régit les rapports sociaux. Chaque individu ou groupe essaye d'imposer sa loi avant qu'un ordre nouveau ne se manifeste. L'effondrement des empires (l'empire romain de l'Antiquité par exemple) est souvent une cause de telles situations, mais on peut trouver d'autres exemples dans les périodes révolutionnaires où des systèmes de normes entrent en conflit les uns avec les autres, ou dans d'autres cadres contemporains (Somalie, ex-Yougoslavie).

Mais on peut aussi parler d'anomie pour les individus quand ceux-ci ne perçoivent plus les normes. Durkheim, dans *De la division du travail social* (1893), pense que dans le système de marché universel que nous connaissons, « la production manque de frein et de règle » (p. 361) et que l'individu ne s'y retrouve plus : il y a donc, pour lui, anomie. Durkheim montre dans *Le Suicide* (1897) que cette absence de référence aux normes agit dans une des formes de suicide. Le suicide anomique diffère du suicide égoïste « en ce qu'il dépend non de la manière dont les individus sont attachés à la société, mais de la façon dont elle les réglemente » (p. 288). Ce qui est en cause dans le suicide anomique c'est le rapport à la société à travers les normes qui réglementent habituellement

---

[1] Cité par Delruelle-Vosswinkel (N.), *in : Introduction à la sociologie générale*, Université de Bruxelles, 1987, p. 251.

l'activité des individus. A côté des suicides égoïste, altruiste ou fataliste, le suicide anomique renvoie à une absence d'intégration sociale, à une rupture de la solidarité sociale et à une inefficacité des institutions qui assurent d'habitude le respect des normes.

Chapitre 9

RÔLES ET STATUTS

« Si l'on prend pour centre d'observation un individu, la place qu'il occupe détermine son statut et son rôle : son statut est l'ensemble des comportements à quoi il peut s'attendre légitimement de la part des autres ; son rôle est l'ensemble des comportements à quoi les autres s'attendent légitimement de sa part. »[1] Proposée dans les années soixante, et souvent citée depuis lors, cette définition souligne clairement le rapport étroit qui unit les concepts de statut et de rôle. Une approche séparée de chacun de ces concepts est cependant profitable à une meilleure compréhension de leur articulation.

LE CONCEPT DE RÔLE

Le terme de rôle — issu du latin médiéval *rotulus* — désigne à l'origine « une feuille roulée portant un écrit ». Il pouvait s'agir d'une liste, d'un catalogue, ou bien d'un registre sur lequel des informations étaient consignées dans un ordre déterminé. De nos jours, cette acception est encore présente, notamment dans le vocabulaire juridique. On dit par exemple, « inscrire une affaire au rôle » ; le « rôle de l'impôt » est en fait une liste de contribuables.

Dans le domaine du théâtre également, le terme de rôle a d'abord désigné un parchemin enroulé sur lequel étaient transcrites les répliques d'un personnage, ainsi que des consignes relatives à l'interprétation. Aujourd'hui, un rôle renvoie tantôt au texte que l'acteur doit dire sur scène, tantôt au personnage tel que le conçoit et le représente l'acteur.

Parallèlement à ces sens premiers, le langage courant offre bien d'autres significations. Le terme de rôle s'emploie par exemple, pour dénoncer une conduite sociale jugée inauthentique (« il ne fait que jouer un rôle », au sens de : « il nous trompe, il fait semblant »). Il renvoie aussi à l'action ou à l'influence qu'une personne exerce dans un domaine particulier (« il joue un rôle dans la vie politique »). Il est également employé pour évoquer une mission ou une vocation (« le rôle du prêtre » ; « du médecin » ; etc.).

---

1 Stoetzel (J.), *Psychologie sociale*, Paris, Flammarion, 1963, p. 178.

Parfois, le terme de rôle vient plus explicitement souligner l'existence de règles, d'obligations, de coutumes. Lorsqu'on reproche par exemple à un père de famille de ne pas avoir rempli son rôle, on pense au modèle de conduite qu'il n'a pas suivi, aux normes qu'il n'a pas respecté. On estime qu'en tant que père il aurait dû faire ceci, ne pas faire cela, etc. Jouer un rôle c'est bien souvent, assumer une responsabilité, une charge, une fonction.

Mais la même expression sert aussi à désigner un comportement suspect ou mystérieux. On dit d'une personne qu'elle « joue » un rôle lorsqu'on juge qu'elle dissimule sa vraie personnalité, ou bien lorsqu'on pense qu'elle s'identifie de manière imaginaire à un personnage idéal. Le rôle joué est alors un masque, une simulation, un artifice.

Les ouvrages littéraires ou philosophiques présentant le monde des hommes sous la forme d'un vaste théâtre, ne se comptent plus. Au cours des siècles, l'image d'une société-théâtre a notamment servi à introduire l'erreur et l'illusion comme des données fondamentales de la vie en société. En faisant du terme de rôle un concept clé, la sociologie réactive sans doute cette tradition du *theatrum mundi*, mais elle ne fait pas que cela.

Pour comprendre l'originalité et l'intérêt heuristique du concept sociologique de rôle, il faut commencer par considérer qu'un rôle social est d'abord un **rôle attendu**. Lorsqu'une personne vient par exemple, consulter un médecin, cette personne attend du médecin, un certain type de comportement. Pour bien remplir son rôle, le médecin doit faire un diagnostic, proposer un traitement, apporter un réconfort, assurer le patient de sa discrétion, etc. Cette manière de se conduire, qui caractérise l'attitude du médecin, correspond à une attente du patient. De son côté, le médecin attend lui aussi, que le patient « joue » un certain rôle. Le patient doit se prêter aux examens, ne pas discuter les ordonnances, suivre le traitement conseillé, etc.

Ce qui règle le comportement des deux « acteurs » dans cette situation précise de la consultation, c'est un ensemble de conduites préétablies, auxquelles les deux personnes se conforment, et que le sociologue appelle donc des rôles sociaux. Ces conduites préétablies permettent que s'instaure une réciprocité, en même temps qu'elles assurent à chacun des protagonistes un certain confort dans leur relation. L'un et l'autre savent en effet qu'ils peuvent compter sur certains comportements de base, de la part de leur partenaire. Cette prévisibilité, cette quasi-certitude que l'autre se conduira d'une manière déterminée, réduit l'incertitude inhérente à toute interaction. Elle rend possible une anticipation des comportements, et permet ainsi aux acteurs de s'orienter plus efficacement au cours du processus d'échange.

Les rôles sociaux se présentent donc comme des sortes de schémas de comportements plus ou moins complexes, qui sont escomptés des individus, par d'autres individus, dans des situations sociales déterminées. On peut utiliser le terme de « schéma » de comportement, dans la mesure où ce qui est escompté des individus, n'est jamais défini dans tous les détails. Chaque individu « interprète » toujours le rôle qu'il doit tenir, en fonction de sa personnalité, de son histoire personnelle, de sa culture d'origine, de son groupe d'appartenance, de la conjoncture, mais aussi en fonction de la conduite de ses partenaires. Chaque interprétation est spécifique. Chaque rencontre donne lieu à des ajustements mutuels plus ou moins inédits. Il y a donc une certaine souplesse dans l'exécution des rôles.

Néanmoins, les rôles, comme au théâtre, existent avant, et continuent d'exister après « la représentation ». L'une des tâches du sociologue consiste précisément à repérer et à décrire ces schémas de base auxquels se rapporte la multitude des « adaptations » existantes. Pour éviter toute confusion entre le rôle prescrit et le rôle joué ou endossé, certains auteurs distinguent le rôle prprement dit, du **comportement de rôle**, ce dernier correspondant à l'action réelle ou à la « prise de rôle », autrement dit à la manière dont chaque individu interprète un rôle à un moment donné. Lorsqu'il se rapproche trop précisément du **rôle prescrit** tel qu'il est anticipé par les attentes des partenaires, le comportement de rôle risque d'être considéré comme étant conformiste. De la même façon, certains comportements peuvent être jugés étranges ou déviants, s'ils s'éloignent inconsidérément des normes qui régissent telle ou telle interaction.

A la base de ce qui pourrait n'être qu'une métaphore risquée, se trouve une intuition décisive, qui explique que le concept de rôle social — élaboré durant l'entre-deux-guerres par des chercheurs américains — soit encore aujourd'hui largement utilisé. Cette intuition est que toute conduite sociale s'inscrit dans un système d'interaction. Or, pour être opérant, ce système doit nécessairement comporter des mécanismes de régulation. Si les relations sociales se présentent le plus souvent sous la forme de comportements mutuels compatibles, c'est bien qu'il existe des règles et des schémas de base qui gouvernent ces relations.

Le concept de rôle, en désignant la conduite d'un acteur social dans un contexte particulier d'interaction, en évoquant l'existence d'enchaînements réglés, de conventions, et en distinguant l'acteur du personnage, est un concept qui permet de réfléchir à la manière dont les individus interagissent. Il éclaire notamment le phénomène de prévisibilité, sans lequel la communication sociale serait rendue particulièrement difficile. En nous inspirant d'une définition proposée par Henri Mendras[1], on dira que le rôle social se compose des attentes qui règlent le comportement d'un individu dans une situation sociale donnée.

Rôles et positions

Si un même rôle peut être interprété par un grand nombre d'individus, il est clair également qu'une même personne remplit toujours plusieurs rôles. Lorsque notre médecin est un homme marié, et qu'il a des enfants, dès qu'il rentre chez lui, il joue au moins deux nouveaux rôles, correspondant à ses positions de mari, et de père de famille. Les rapports qu'il entretient avec sa femme et avec ses enfants, obéissent eux aussi, à des schémas ou à des modèles de comportements plus ou moins standardisés. Si par ailleurs ce même médecin est un catholique pratiquant, le fait d'aller à l'église chaque semaine, constitue, aux yeux du sociologue, un rôle supplémentaire. Chaque individu possède ainsi un **jeu de rôles**, ou si l'on préfère, chaque situation sociale amène les individus à jouer des rôles spécifiques.

1 Mendras (H.), *Éléments de sociologie*, Armand Colin, Collection U, Paris, 1975 p. 248.

Tous ces rôles ne sont cependant pas de même nature, ni de même importance pour les personnes. Dans le cours ordinaire d'une journée, nous remplissons tous une série de rôles transitoires, très limités dans le temps, qui sont relativement secondaires. Le rôle de passager d'autobus par exemple, réclame une conduite attendue, à la fois par le conducteur et par les autres passagers. Mais chacun reconnaîtra que ce rôle est moins complexe que le rôle de médecin.

Une première distinction peut-être établie entre, d'une part des rôles liés à des « positions » assignées ou imposées, et d'autre part des rôles acquis. Une position assignée est une position que l'on n'a pas choisie, et à laquelle, en principe, on ne peut pas échapper. ÊEtre un homme ou une femme, par exemple, ne relève pas d'un choix. Or, dans toutes les sociétés, cette différence sexuelle donne lieu à des modèles de comportements distincts. Les caractéristiques des rôles masculins et féminins sont très variables suivant les époques et les cultures. Par ailleurs, il est parfois possible de « jouer » avec ces rôles. Ils n'en demeurent pas moins des **rôles assignés**.

Il en va de même pour les rôles qui sont inhérents à l'âge. L'enfant, l'adulte ou le vieillard, doivent se conformer à certaines conduites particulières. Ces modèles de conduites peuvent là encore varier d'un pays à un autre, ou d'une époque à une autre, mais ils s'imposent à tous, et il faut faire avec. Les conduites sociales directement liées à l'âge, au sexe, et dans certains cas à la caste ou à la classe d'appartenance, peuvent ainsi être considérées comme des rôles assignés.

En revanche, la plupart des rôles professionnels par exemple, sont aujourd'hui des **rôles acquis**, dans la mesure où ils peuvent faire l'objet d'un choix, ou au moins d'un refus. Un rôle acquis est un rôle qui dépend, en partie, de la volonté des individus. Cela ne veut pas dire que la liberté de choix soit totale, mais il y a tout de même une marge de manoeuvre, la décision personnelle intervient.

Au-delà de ce premier partage entre rôles acquis et rôles assignés, il est possible d'imaginer d'autres typologies. Dans les années 1950, Talcott Parsons[1] a proposé de distinguer notamment des **rôles « universalistes »** et des rôles « particularistes ». Par exemple, dans l'accomplissement de son rôle, un employé de banque doit en principe traiter l'ensemble des clients de la même façon. Son rôle peut être considéré comme un rôle universaliste, dans la mesure où il répond aux attentes d'un grand nombre de personnes venues de tous les horizons. La diversité sociologique des clients n'est pas un obstacle à l'exercice de ce rôle. Ce rôle peut lui-même être tenu par des personnes très différentes.

En revanche, si notre employé de banque est père de trois enfants, son rôle de père est un **rôle « particulariste »**, au sens où il ne concerne qu'un nombre très limité de personnes bien déterminées. En outre, un employé de banque ne traite d'habitude avec ses clients que de certains sujets précis. Ce rôle est donc non seulement universaliste, mais encore « **spécifique** ». A l'inverse, le rôle de père se présente par comparaison, comme un rôle « **diffus** ». Les attentes auxquelles un père est censé répondre, sont moins précises et plus nombreuses, que les conduites de base définissant le rôle d'employé de banque.

---

[1] Parsons (T.), Shils (E.), et al., 1951, *Toward a general theory of action*, Cambridge, Harvard University Press.

Certains rôles peuvent encore être dits « **personnels** ». Chaque individu à sa personnalité, mais certains traits de caractère ou certaines composantes psychologiques individuelles peuvent dans certains cas se cristalliser en de véritables rôles. On observe que tel individu se montre généralement conciliateur, tel autre volontiers agressif, on sait que telle personne est souvent pessimiste, que telle autre cherche toujours à jouer un rôle de *leader*, etc. Si ces traits de personnalité se confirment pour la plupart des partenaires de ces personnes, ils finiront par entraîner de vraies attentes, et deviendront donc à termes de véritables rôles. Certains individus peuvent ainsi de sentir prisonniers d'un rôle psychologique qu'ils se sont en partie forgés eux-mêmes. Les attentes relatives à ces rôles se révèlent quelquefois particulièrement contraignantes.

Différentes approches

Pour définir les contours d'un rôle, différentes approches sont possibles. Si l'on étudie par exemple le rôle maternel — dans une société donnée, à un moment donné — on peut envisager de réaliser une enquête auprès de la population de cette société, en demandant à chaque individu de préciser brièvement en quoi consiste le rôle d'une mère. Les réponses semblables les plus nombreuses révéleront les conduites essentielles du rôle. Ces réponses souligneront par exemple qu'une mère doit d'abord veiller à la bonne santé de ses enfants. D'autres conduites apparaîtront moins essentielles, par exemple celle de leur raconter des histoires. Enfin, les conduites pour lesquelles le pourcentage de réponses sera très faible, pourront être considérées comme étant simplement possibles ou indifférentes par rapport au rôle.

On peut donc dessiner le profil d'un rôle, en mesurant le degré de consensus relatif à une série de conduites liées à ce rôle ; certaines de ces conduites apparaissant, à un moment donné, comme essentielles, d'autres comme obligatoires, d'autres encore comme souhaitables, permises, tolérées ou interdites. Globalement, le comportement de rôle se situera quant à lui, dans la marge d'indétermination laissée entre ce qui est obligatoire et ce qui est interdit.

Pour obtenir une définition moins statique et plus précise, on peut aussi replacer le rôle à étudier dans un contexte plus restreint. Un rôle est toujours en rapport privilégié avec certains autres rôles. Par exemple, on imagine mal le rôle du médecin sans le rôle du malade. De la même façon, le rôle du professeur ne se conçoit pas sans celui de l'élève. Ces rôles « associés », se définissent réciproquement et évoluent toujours ensemble. Cependant, les rôles ne fonctionnent pas seulement par paires. Ces paires s'inscrivent dans des ensembles de rôles complémentaires qui forment ce que l'on nomme généralement des **champs de rôles**.

Afin d'éclairer cette notion, situons-nous par exemple dans l'espace scolaire, et concentrons-nous sur le rôle de l'enseignant de collège. Ce rôle est en rapport plus ou moins constant avec d'autres rôles sociaux. Il y a bien sûr le rôle tenu par les élèves, mais il y a aussi, le rôle que jouent la direction de l'établissement, ceux de l'administration, des syndicats, et des parents d'élèves. Ces rôles sont des rôles associés au rôle de l'enseignant. Ils constituent un champ de rôles. On peut remarquer que pour un enseignant d'université, les parents n'entrent pas dans le champ de rôles.

On notera également que les contours d'un champ, de même que l'importance de chacun des rôles inscrits dans ce champ, dépendent du rôle étudié. Si l'on décidait de porter notre attention sur le rôle de l'élève, le rôle des syndicats d'enseignants disparaîtrait, et celui des conseillers d'orientation occuperait par exemple, une position de choix.

Mais revenons au rôle de l'enseignant. Ce rôle est déjà en partie défini par l'institution scolaire. En France, le ministère de l'Éducation nationale produit un ensemble de règlements et de consignes, dont la synthèse donne une première idée de ce rôle.

Cependant, cette définition institutionnelle est extrêmement schématique, et demeure très insuffisante aux yeux du sociologue. D'une part, les règlements officiels ne décrivent pas l'ensemble des conduites qui caractérisent le rôle de l'enseignant. Aucun texte réglementaire n'est par exemple en mesure de nous apprendre comment les enseignants se comportent habituellement à l'égard de leurs collègues. Et d'autre part, les droits et les devoirs de l'enseignant tels qu'ils sont enregistrés par l'institution, font l'objet de discussions et d'ajustements permanents.

Dans ce domaine comme dans tous les autres, il faut distinguer le droit et l'usage. Un certain nombre de consignes sont évidemment respectées, et correspondent bien aux comportements réels des personnes, mais il en est d'autres que les enseignants sont amenés à « interpréter », tantôt parce qu'elles sont surannées — les formalisations sont souvent en retard sur les pratiques — tantôt parce que certaines consignes ou certaines directives nationales ne sont pas parfaitement adaptées à un contexte régional ou local particulier.

Si l'on veut obtenir une image plus précise, et plus actualisée, du rôle de l'enseignant, il est donc nécessaire d'enrichir ce profil officiel, cette ébauche de définition délivrée par l'institution, en cherchant par exemple à établir une sorte de profil « moyen », correspondant à la moyenne des conduites réelles des professeurs de collèges, en France, à un moment donné.

Pour ce faire, il faut observer les comportements d'un grand nombre d'enseignants, repérer les habitudes sociales les plus largement partagées, dégager les traits caractéristiques de ce rôle, en vue de produire une sorte de photographie, à un moment donné, de l'enseignant moyen. Cette description « objective » des comportements de l'enseignant moyen, sera plus complète et plus actuelle que le portrait institutionnel.

Mais il est encore possible d'enrichir cette description objective du rôle d'enseignant, en étudiant ce rôle à travers la vision qu'en ont les autres rôles qui lui sont associés. On peut ainsi demander aux élèves, aux directeurs des établissements, aux parents d'élèves, etc., de faire le portrait « idéal » de l'enseignant. On peut aussi demander aux enseignants eux-mêmes, de décrire leur propre rôle. Il est évident que ces différentes « photographies » seront chacune très instructives, car un rôle est d'abord un ensemble de portraits « souhaités » par des acteurs partenaires.

Les conflits de rôles

Il se trouve que ces portraits souhaités ne coïncident pas nécessairement. Les élèves, les directions d'établissements, les parent d'élèves, n'ont pas forcément tous la même vision du rôle de l'enseignant, et ils n'en attendent pas tous exactement la même chose. Par exemple, si les élèves souhaitent en général que les professeurs ne soient pas trop sévères, les directions d'établissements quant à elles, préfèrent les enseignants qui n'ont jamais de problèmes de discipline. Par ailleurs, un enseignant qui est très populaire auprès de ses élèves, peut ne pas être bien vu par ses collègues.

Il y a donc une quantité d'attentes de différentes natures. Certaines de ces **attentes** sont « **impératives** ». Un enseignant qui ne répond pas aux règles de base de la profession risque d'être sanctionné par l'institution, voire même exclu du rôle. Mais parallèlement à ces attentes impératives qui définissent dans cet exemple les contours institutionnels du rôle, il y a également une quantité d'attentes plus ou moins « facultatives » — plus ou moins contradictoires aussi — qui viennent des rôles associés, et qui conditionnent nécessairement le comportement de l'enseignant.

Ces attentes peuvent être considérées comme « **facultatives** », parce qu'elles n'apparaissent dans aucun texte officiel, et qu'elles sont moins précises et moins rigides que les attentes impératives. Chacun est libre de les accepter ou de les respecter plus ou moins. Jusqu'à un certain point, un enseignant peut se soustraire à certaines règles de politesse ou a certains principes de coopération, en se conduisant comme un ours à l'égard de ses collègues, ou à l'égard de l'administration. Mais ces attentes facultatives des uns et des autres, s'accompagnent tout de même de sanctions plus ou moins formalisées, plus ou moins symboliques, qui ne sont d'ailleurs pas nécessairement négatives. Les récompenses ou les gratifications spontanées ou informelles, sont aussi des formes de sanctions qui orientent le comportement des acteurs.

L'expression « conflits de rôles » sert à désigner plusieurs types de phénomènes. Trois au moins doivent être distingués. Des conflits peuvent tout d'abord apparaître lorsque des rôles différents entrent en concurrence, ou bien lorsque les tenants d'un rôle réclament l'un des attributs traditionnels et essentiels d'un autre rôle.

Dans un champ de rôle, les tensions entre rôles sont permanentes. Il est rare que les attentes émanant d'un ensemble de rôles partenaires concordent parfaitement. Lorsque les désaccords ne concernent que les conduites secondaires d'un rôle, les tensions ne débouchent pas nécessairement sur un conflit. Le conflit éclate en revanche, dès que le noyau dur d'un rôle est contesté ou revendiqué par un autre rôle. Il est par exemple fréquent aujourd'hui que des enseignants entrent en conflit avec des parents d'élèves au moment des décisions d'orientation. Traditionnellement, les décisions de passage ou de redoublement des élèves, relèvent de l'équipe pédagogique qui a suivi les élèves durant l'année scolaire. Lorsque des parents d'élèves s'opposent à ces décisions et cherchent à les faire casser, les enseignants peuvent ressentir ces actions comme une remise en cause de leur rôle.

Parallèlement à ce type de **conflit entre personnes différentes occupant des rôles distincts**, on parle également de conflits de rôle, à propos des difficultés qu'une personne peut rencontrer à remplir son rôle, face à des attentes contradictoires ou incompatibles. Il s'agit alors de conflits internes aux personnes. Un rôle comporte toujours de multiples facettes selon les interlocuteurs et leurs attentes spécifiques. Généralement, chaque individu, en fonction notamment de sa personnalité et de l'usage qu'il fait de son répertoire personnel de rôle, parvient plus ou moins à résoudre les problèmes que posent des attentes contraires ou divergentes. Dans la vie de tous les jours, les choix cornéliens sont relativement rares.

Cependant, certains rôles « intermédiaires » ou « mixtes » — les rôles d'agent de maîtrise ou de sous-officier, par exemple — peuvent sembler plus exposés que d'autres rôles à ce type de **conflit interne aux personnes**. Un agent de maîtrise peut se sentir écartelé entre les exigences de ses supérieurs hiérarchiques, et les attentes des ouvriers ou des employés dont il se sent proche. De même, le rôle de sous-officier comporte deux versants assez distincts, qui réclament des attitudes et des comportements différents, voire opposés. Pour autant, ces rôles charnière ne condamnent pas nécessairement leurs détenteurs à de pénibles tensions. Choisir un rôle contenant une opposition interne marquée, peut aussi correspondre à des besoins psychologiques profonds.

Le problème se pose néanmoins différemment lorsqu'il s'agit d'un rôle assigné. La position d'adolescent par exemple, est traditionnellement associée dans nos sociétés à un moment de tensions particulièrement intenses. On décrit souvent l'adolescence comme une période de crise. Il est possible d'expliquer les conflits intérieurs que vivent les adolescents, par les transformations physiologiques et psychologiques qui caractérisent ce moment de la vie. Mais on peut également insister sur les attentes contradictoires auxquelles les adolescents sont soumis, du fait de leur position intermédiaire entre l'enfance et l'âge adulte.

Globalement, les rôles attachés à la position d'adolescent sont moins bien définis que les attentes relatives à l'enfance ou à l'âge adulte ; ils participent à la fois des unes et des autres. A cet égard, on notera que les ruptures dans les changements de rôles associés à l'âge peuvent être plus ou moins abruptes selon les sociétés. Les rites d'initiation et de passage que pratiquent certaines sociétés africaines par exemple, soulignent ces ruptures de manière extrêmement précise. Dans nos sociétés, le passage de l'enfance à l'âge adulte se fait sur une période de plus en plus longue et s'apparente plutôt à une forme d'oscillation.

Un dernier cas de figure important concerne les conflits résultant de la présence de deux ou de plusieurs **rôles incompatibles dans le jeu de rôles d'une personne**. Il y a encore quelques années, le cumul des positions et des rôles de femme, de mère, et d'employée était pratiquement toujours synonyme de conflits. Pour l'homme, le rôle professionnel et le rôle de père sont considérés comme conciliables dans la mesure où ils sont hiérarchisés. En général, un père dont l'enfant a la rougeole par exemple, n'est pas autorisé à quitter son travail. Dans cette situation, c'est en principe le rôle professionnel qui l'emporte. Pour une mère, le conflit risque en revanche d'être plus grave car la société ne donne pas nettement la préséance au rôle maternel ou au rôle professionnel. Autrement dit, une femme qui exerce simultanément les deux rôles, a de fortes chances d'être exposée un jour, soit à des reproches pour carences familiales, soit à des remarques pour absentéisme professionnel.

Cependant, un conflit de cette nature peut s'amplifier, toucher un nombre toujours croissant de personnes, et provoquer à la longue, à la fois une révision des attentes liées à certains rôles, et une modification des conditions objectives de réalisation de ces rôles. En l'occurrence, un nouvel aménagement des horaires de travail, un accroissement du nombre de crèches, le développement de l'aide à domicile, etc., peuvent réduire les risques de conflit, et favoriser la stabilisation de nouveaux rôles.

C'est ainsi que certains rôles disparaissent ou se transforment, tandis que d'autres surgissent, se précisent et s'imposent. Mais à chaque fois qu'un rôle change de manière significative, ou qu'un nouveau rôle se forme, la définition des rôles qui lui sont associés s'en trouve automatiquement modifiée. Par exemple, si les rôles ou les attentes correspondant à la position d'enfant se modifient, les rôles de parents et d'enseignant seront eux aussi transformés. Cette question de la transformation des rôles est importante, notamment pour ce qui concerne le statut social des personnes qui exercent ces rôles. Lorsqu'un rôle change, ce sont aussi des statuts sociaux qui changent.

LE CONCEPT DE STATUT

Dans le vocabulaire sociologique, le terme de statut peut recevoir deux sens différents. Il arrive qu'il désigne simplement la position d'une personne dans un réseau de relations sociales. Le terme de position que nous avons utilisé jusqu'ici, peut donc être remplacé par celui de statut. En ce sens, le statut est une place occupée par (et reconnue à) un individu dans une situation sociale donnée. Au cours d'une journée, un individu peut changer plusieurs fois de position statutaire, chacune de ces positions correspondant à des rôles spécifiques.

Dans une deuxième acception, plus courante, le statut désigne une place dans la hiérarchie sociale. Ici, le statut se présente comme la résultante d'un ensemble de positions. En somme, il s'agit d'une position globale qui situe un individu, ou un groupe d'individus, sur une échelle de prestige et de pouvoir. Dans cette perspective, le statut n'apparaît plus comme une simple position, mais comme un rang.

Le statut comme position

C'est aux recherches menées à partir des années 1930 par l'américain Ralph Linton (1893-1953), que l'on doit le rapprochement, et l'approfondissement, des concepts de statut et de rôle. Selon cet auteur, il n'y a pas de statut sans rôle, ni de rôle sans statut. Le rôle comporte surtout des aspects dynamiques et fonctionnels, tandis que le statut est essentiellement statique et structurel.

Le statut renvoie davantage que le rôle à la structure sociale, dans la mesure où il désigne des positions sociales relativement stables. Ces positions sont reliées entre elles, et elles composent la structure d'une société. Le rôle, de son côté, apparaît comme le versant dynamique des statuts.

Linton distingue le **statut actuel**, correspondant à la position occupée par une personne à un moment donné, et les **statuts latents**, c'est-à-dire toutes les positions que cette personne occupe à d'autres moments. « Les rôles associés aux statuts latents, précise-t-il, sont provisoirement mis en vacances, mais ils demeurent parties intégrantes de l'équipement culturel de l'individu »[1].

Dans le prolongement des travaux de Linton, Robert Merton a proposé de distinguer **l'ensemble des rôles** associés à un statut *(role set)*, et **l'ensemble des statuts** que possèdent un individu *(status set)*. Par exemple, le statut d'étudiant en médecine comprend notamment un rôle d'étudiant envers le professeur, un rôle de jeune médecin envers les malades, et un rôle d'apprenti médecin envers les infirmières. Cet ensemble de rôles constitue pour Merton un *role set*. Mais l'étudiant en médecine possède d'autres statuts. Dans le cadre familial par exemple, il est d'abord le fils d'un père et d'une mère.

Avec le concept de *status set,* nous nous rapprochons donc du statut comme position globale, ou pour reprendre une expression d'Henri Mendras comme « position des positions »[2]. Merton rappelle à cet égard, que dans une structure sociale donnée, les individus n'occupent pas tous le même nombre, ni le même type de positions. « De même que les groupes et les sociétés diffèrent quant au nombre et à la complexité des positions sociales qui s'y trouvent, de même les individus, quant au nombre et à la complexité des positions composant leurs statuts »[3]. Cette constatation ne le conduit cependant pas à envisager le statut comme une place dans une hiérarchie sociale. Il distingue un statut comme ensemble de rôles, et un statut comme ensemble de positions, mais il n'apporte aucune précision quant au moyen de situer ce deuxième type de statut dans l'espace social.

Il est vrai que Merton a pour objectif, non pas l'étude de la structure sociale dans son ensemble, mais « l'étude des mécanismes internes qui assurent un certain degré d'ordre social »[4]. Par mécanismes internes, il faut entendre par exemple, les processus qui accompagnent l'apprentissage des rôles, et l'acquisition des positions. Pour désigner la succession des rôles et des positions qui marquent la vie des individus, Merton parle de séquences de rôles et de **séquences de positions**. « L'individu, explique-t-il, se déplace continuellement le long d'une séquence de positions (et des rôles qui y sont liés), chacune n'étant pas très différentes de la précédente : on pourrait parler de "gradation de rôles". Le passage "officiel" d'une position à l'autre apparaît soudain, mais il est précédé d'une longue période de préparation qui passe inaperçue. Il y a moins de discontinuité dans la vie sociale qu'on ne le pense [...]. Dans les séquences de rôles et de positions, poursuit-il, l'individu est presque continuellement soumis au jugement des autres. Les tendances à revenir au comportement du rôle

---

[1] Linton (R.), 1945, *Cultural background of personality,* New York, Londres, D. Appleton-Century Co, trad. fr. *Le Fondement culturel de la personalité*, Paris, Dunaud, 1967, p 72.

[2] Mendras (H.), *op. cit.*, p. 81.

[3] Merton (R.K.), (1949) *Éléments de théorie et de méthode sociologique*, trad. fr., Paris, Plon, 1965, p. 290.

[4] *Ibid,* p. 285.

précédent sont combattues par l'affirmation de la position nouvelle ("tu es un grand garçon…"). De même pour la tendance à se rapprocher "trop vite" du rôle suivant ("un jour tu seras ton maître, mais pour l'instant…"). Dans ce dernier cas l'individu fait une tentative, un essai, contrôlé par les réactions des autres »[1].

Le statut comme rang

Depuis le développement des recherches sur la stratification sociale, la notion de statut est de plus en plus souvent apparentée à celle de prestige social. Les individus occupent, on l'a vu, différentes positions. Comme les rôles qui les accompagnent, ces dernières peuvent être assignées ou acquises. Dans toutes les sociétés, on observe que certaines positions, qu'elles soient imposées ou acquises, interviennent plus que d'autres dans l'estime conférée aux personnes ou aux groupes. Dans nos sociétés par exemple, la profession apparaît comme un élément déterminant quant au prestige social des individus. Mais dans d'autres sociétés, l'âge, la naissance, ou le courage physique peuvent être particulièrement décisifs. Les positions et les rôles qui les accompagnent sont donc évalués et hiérarchisés différemment selon les cultures.

Cette évaluation et cette hiérarchisation s'observent notamment dans les récompenses et les privilèges que la société accorde à certaines positions. Ces gratifications ne s'ordonnent cependant pas selon un axe unique. Certaines positions professionnelles par exemple, sont très bien rémunérées, mais n'ont guère de prestige. D'autres positions jouissent d'un grand prestige, mais n'ont aucun pouvoir.

---

[1] *Ibid*, p. 293.

Chapitre 10

ATTITUDES ET OPINIONS

Un comportement renvoie à une action ou à une manière d'être, une opinion à un jugement ou à une idée. Avoir une opinion revient essentiellement à penser quelque chose. Une opinion peut ne pas être exprimée, et donc rester secrète. Un comportement en revanche semble plus directement observable. Dans un sens très général, se comporter, c'est vivre de telle ou telle façon. C'est aussi agir ou réagir de manière spécifique dans une situation particulière. L'action de se joindre au cortège d'une manifestation de rue est un comportement qui exprime une opinion.

Lorsqu'on recense les opinions d'un individu, ou bien lorsqu'on examine ses comportements habituels, on observe que ces opinions — ou que ces comportements — forment des ensembles relativement homogènes. Par exemple, les réponses qu'apporte un individu à des questions portant sur des préférences politiques, religieuses, esthétiques, ou autres, présentent généralement entre elles une certaine cohérence. Cette cohérence — qui tient à la personnalité de chacun, mais qui résulte aussi largement de l'appartenance à certains groupes sociaux — définit ce que les sociologues ont appelé — à la suite des psychologues — le domaine des attitudes.

Dans son sens primitif, le mot attitude s'applique à des postures du corps, ou à des manières de se comporter, considérées le plus souvent comme l'expression d'un certain état d'esprit, notamment à l'égard d'une personne ou d'une activité. On distingue ainsi des attitudes agressives, ouvertes, affectées, soumises, intransigeantes, etc. On dit aussi d'une personne qui s'oppose à un projet, qu'elle a une attitude hostile ou critique à l'égard de ce projet.

Dans le vocabulaire des sciences humaines et sociales, le terme d'attitude ne sert pas seulement à désigner des comportements occasionnels relatifs à une situation particulière ou à une humeur passagère. Ces comportements « de surface » ne représentent que la manifestation externe d'une attitude. Le concept d'attitude renvoie à une disposition mentale relativement stable et constante, qui est profondément ancrée dans la personnalité, et dont on suppose qu'elle est à l'origine d'un certain nombre d'opinions et de comportements. Les attitudes se situent en quelque sorte *derrière* la multiplicité et la variabilité des opinions et des comportements d'un individu.

En conséquence, cette disposition profonde qu'est l'attitude, n'est pas une entité immédiatement accessible. Il n'est pas possible de l'étudier par l'observation directe. On ne peut que l'inférer ou la construire, sur la base d'un ensemble de comportements, ou à partir de l'analyse d'un ensemble d'opinions.

DÉFINITION ET MESURE DES ATTITUDES

En pratique, les attitudes sont surtout étudiées par les sociologues, à partir d'un ensemble d'opinions exprimées. Cette préférence s'explique notamment par le fait qu'on obtient plus rapidement et plus aisément des résultats quantifiables en interrogeant des personnes sur ce qu'elles pensent, qu'en les regardant vivre. Cependant, cette approche n'est pas sans risques, car ce qu'exprime un individu, verbalement ou par écrit, ne correspond pas nécessairement à ce qu'il fait, ou à ce qu'il ferait réellement dans une situation donnée.

Néanmoins, dans cette perspective opérationnelle, on part généralement du principe que les attitudes ressortent de ce qu'il y a de commun à un ensemble de jugements ou de prises de position. Par exemple, on dira d'un individu qu'il a une attitude globalement conservatrice si, en face de questions ou de propositions portant sur différents domaines, on observe — à un moment donné, dans un contexte culturel donné — qu'il opte le plus souvent pour les solutions les moins novatrices.

Définie en ces termes, la notion d'attitude implique une idée de degré ou d'intensité. Selon les cas, un individu peut se révéler plus ou moins conservateur. Cela signifie qu'une attitude est susceptible d'être mesurée. En cherchant à mesurer l'intensité d'une attitude, le sociologue n'a pas pour objectif d'éclairer la personnalité profonde des individus. Ce qui l'intéresse, c'est de tirer des réponses individuelles, des observations générales qui lui permettent d'appréhender la réalité collective des attitudes. Son but est de parvenir à mieux connaître les attitudes d'un groupe social, d'une catégorie d'individu, ou d'une collectivité.

Par exemple, dans le contexte culturel des États-Unis où ces études se sont particulièrement développées, les recherches se sont très tôt orientées dans deux directions principales. Une direction que l'on pourrait qualifier de « politique », avec notamment des recherches sur les attitudes antidémocratiques ou racistes. Et d'autre part, une direction commerciale. Dans ce cas, un industriel cherche par exemple à savoir comment il doit présenter un produit afin d'accroître ses ventes dans telle ou telle catégorie sociale.

L'instrument qui permet de répartir les individus d'une population, en fonction des différentes intensités d'une attitude donnée, s'appelle une **échelle d'attitude**. Cette échelle se présente dans un premier temps sous la forme d'un questionnaire ; les réponses obtenues sont ensuite traitées et combinées de diverses manières afin de permettre un classement des individus.

Au départ, la construction de ce type d'échelle s'appuie à la fois sur des recherches antérieures et sur l'intuition. On fait l'hypothèse qu'une certaine attitude existe. Si par exemple on postule l'existence vraisemblable d'une attitude raciste, la préparation du questionnaire suppose d'une part, que l'on prenne connaissance des études déjà réalisées en ce domaine, et d'autre part que l'on passe en revue tous les indicateurs imaginables susceptibles d'entraîner, au moment de l'enquête, des réactions significatives.

Généralement, les questions une fois formulées portent sur des préférences, des opinions, des habitudes, ou des intentions. Ces questions sont formulées de telle sorte que la personne interrogée n'a souvent le choix qu'entre un petit nombre de réponses, parfois entre deux seulement. Par ailleurs, la formulation des questions doit être extrêmement soignée. Toute ambiguïté dans le sens d'une question doit avoir été prévue et écartée, afin qu'aucune ambiguïté n'apparaisse ensuite dans la réponse.

Supposons qu'un questionnaire destiné à étudier l'attitude raciste, ne comporte que deux questions : l'une concernant par exemple un parti politique explicitement raciste, et l'autre portant sur un comportement social quelconque, mais impliquant un rapport avec des personnes considérées comme étrangères ou d'origine étrangère. Supposons d'autre part que pour chacune de ces deux questions, deux réponses seulement soient possibles : l'une considérée comme « raciste » (+) par les réalisateurs du questionnaire, l'autre jugée « non raciste » (-).

Ce questionnaire fictif permettra de définir quatre groupes de personnes. Un premier groupe sera composé des personnes qui auront donné deux réponses racistes (++). Un second comprendra les personnes qui ont exprimé une opinion raciste à la première question, mais pas à la seconde (+ -). Le troisième groupe correspondra aux personnes qui ont fait le choix inverse (- +), et le dernier, à celles qui ont donné deux réponses non racistes (- -). Dans cette hypothèse, il est évident que le groupe (++) est le plus raciste, que le groupe (- -) est le moins raciste, et que les deux autres groupes occupent une position intermédiaire.

Il est alors envisageable de fondre les deux groupes intermédiaires en un seul. Mais cette façon de procéder revient à considérer que les réponses (+ -) et (- +) se valent, ce qui ne va pas de soi. Il convient donc de se demander s'il est légitime de grouper ainsi des ensembles de réponses distincts.

D'autre part, il faut considérer également le nombre de réponses obtenues dans chacun des groupes. Par exemple, si le poids des quatre groupes est identique en nombre de réponses, cela signifie que globalement une position raciste dans le domaine politique, ne s'accompagne pas nécessairement d'une position de même nature dans l'autre domaine considéré. Dans ce cas, l'hypothèse qu'existe une attitude raciste dans la population étudiée se révélerait contestable. La répartition des réponses montrerait qu'il n'y a pas véritablement de lien entre les domaines pris en compte.

En revanche, si l'un des deux ensembles intermédiaires n'est pas représenté dans les réponses obtenues, on peut en déduire que l'existence d'une attitude raciste est fortement probable. Cela signifie qu'il y a bien une certaine continuité entre les deux groupes extrêmes. Les différents ensembles de réponses peuvent être ordonnés sans difficulté.

En restant dans ce cas de figure, mais en supposant que cette étude ait porté sur cinq questions, l'échelle d'attitude se présenterait finalement sous la forme suivante :

Questions

	1	2	3	4	5
groupe I	+	+	+	+	+
groupe II	+	+	+	+	-
groupe III	+	+	+	-	-
groupe IV	+	+	-	-	-
groupe V	+	-	-	-	-
groupe VI	-	-	-	-	-

Lorsqu'on se rapproche d'une configuration de ce genre, c'est-à-dire d'un schéma où les combinaisons de type (+ - + -) ou (- + - -) sont quasiment inexistantes, on dit que l'on est en présence d'une échelle « hiérarchique », appelée aussi **échelle de Guttman**, du nom du psychologue qui en 1939, a, le premier, attiré l'attention sur cette structure et sur l'intérêt de son utilisation.

L'échelle de Guttman se fonde sur une gradation des propositions, de sorte que la personne qui a répondu par (+) à la question n°3 par exemple, n'a pas pu répondre différemment aux questions n°1 et n°2. Le principe est simple à comprendre : un individu qui déclare qu'il ne changerait pas ses habitudes d'achat d'un produit si son prix augmentait de 20 %, répondra nécessairement qu'il ne changera pas non plus si l'augmentation n'est que de 10 %. Le choix d'une suite de questions dont on s'attend à ce qu'elle jouisse de cette propriété, ne suppose évidemment pas que les questions soient liées de manière aussi stricte. Ce qui compte en revanche, lorsque les réponses ont été recueillies et ordonnées, c'est qu'entre les ensembles de réponses extrêmes, en l'occurrence le groupe I et le groupe VI, on puisse observer une progression ; ce qui permet dans le cas présent, de donner pour ainsi dire une « note » de racisme aux différents groupes.

Les études de ce genre ne sont évidemment pas sans défauts. On peut notamment estimer que des attitudes profondes comme le racisme demeurent le plus souvent sous-jacentes, qu'elles émergent rarement sur le plan conscient, qu'elles sont vécues plutôt que pensées, et en conséquence, que la communication verbale ou écrite des personnes interrogées, n'en rend compte que très imparfaitement. Une échelle de ce type demeure cependant un précieux instrument de mesure, car elle permet d'observer des différences d'attitude entre diverses catégories d'une population.

DÉFINITION ET MESURE DES OPINIONS

Dans le cadre des enquêtes sociologiques, une opinion est avant tout une « formule nuancée qui, sur une question déterminée, (à un moment donné), reçoit l'adhésion sans réserve d'un sujet »[1]. La question : « Êêtes-vous très favorable, plutôt favorable, plutôt défavorable ou très défavorable à l'action du gouvernement ? », contient quatre réponses potentielles. Pour le sociologue qui pose

---

[1] Stoetzel (J.), *Théorie des opinions*, Presses Universitaires de France, Paris, 1943, p. 25.

cette question, une personne exprime son opinion sur l'action du gouvernement, dès lors qu'elle choisit l'une des réponses prévues.

Si l'on pose cette question à l'ensemble des Français en âge de voter, et que ces derniers acceptent de se prononcer en faveur de l'une des quatre nuances proposées, leurs réponses permettront d'évaluer « la popularité » de l'action gouvernementale. Mais en enregistrant également, le sexe, l'âge, la profession, le revenu, le lieu de résidence, etc., des personnes interrogées, cette enquête d'opinion éclairera aussi la façon de penser de tel ou tel groupe social, de telle ou telle catégorie d'individus.

Généralement, les enquêtes de ce type sont réalisées par **sondage**. Un sondage — qu'il s'agisse ou non d'une enquête d'opinion — est une technique d'investigation consistant à interroger un échantillon d'individus représentatif d'une population plus large, appelée population-mère ou population-cible. Si l'on veut enquêter sur l'ensemble de la population française par sondage, on considère généralement qu'il faut un échantillon de 1000 personnes, avec la proportion de femmes et d'hommes, de représentants des différentes catégories socio-professionnelles, des différentes classes d'âge et du type de résidence correspondant à la réalité de la société française.

On constitue donc un **échantillon représentatif** en le construisant à l'image de la population que l'on veut étudier. Par exemple, si la population-cible contient un tiers de personnes dont l'âge est supérieur ou égal à 60 ans, l'échantillon en contiendra la même proportion. En d'autres termes, un échantillon est dit « représentatif » lorsqu'il possède les mêmes caractéristiques que la population-mère : même répartition par âge, par sexe, par catégorie socio-professionnelle…

C'est grâce à *la loi des grands nombres,* que les enquêtes réalisées à partir d'un échantillon représentatif, conduisent, avec des marges d'erreur calculables, aux mêmes résultats que les études effectuées dans le cadre d'une enquête à grande échelle. Les sondages d'opinion permettent ainsi de déterminer s'il existe ou non, sur une question donnée à un moment donné, une **opinion collective**.

Il importe ici de bien comprendre qu'une somme d'opinions individuelles ne donne pas nécessairement une opinion collective. Si, sur une question donnée, la distribution des réponses obtenues se révèle « normale » (au sens statistique du terme, défini ci-dessous), cela signifie qu'il n'y a pas d'opinion collective, il y a simplement une somme d'opinions individuelles.

Ce phénomène se produit notamment, lorsqu'au cours de l'enquête, la plupart des personnes interrogées ont le sentiment de devoir répondre, soit à une question qu'elles ne se sont jamais véritablement posées, soit à une question qui ne les intéresse pas. Dans la mesure où elles n'ont pas d'opinion précise à exprimer, elles adoptent alors une position moyenne. La distribution « normale » qui en résulte, se présente graphiquement sous l'aspect d'une courbe en forme de cloche, que l'on appelle aussi courbe de Gauss. Les réponses les plus nombreuses sont au centre, les moins nombreuses se distribuent également de chaque côté du maximum.

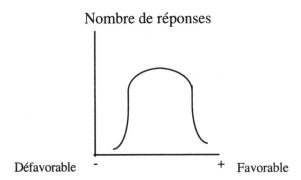

En revanche, si le problème soulevé correspond à une préoccupation forte pour l'ensemble de la population considérée, on obtient alors des courbes en forme de J, de L, ou de U. Chacune de ces courbes indique l'existence d'un phénomène collectif d'opinion. Dans le premier cas, la majorité des personnes interrogées ont exprimé une opinion très favorable, dans le second l'opinion collective est très largement défavorable, et dans le dernier cas, l'opinion est complètement partagée puisqu'une moitié est très défavorable et l'autre moitié très favorable.

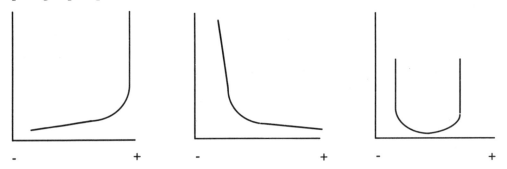

En face d'un sondage d'opinion qui révèle ou qui confirme une opinion collective à propos d'un problème donné, il ne faut jamais perdre de vue que « la preuve statistique » de cette opinion collective, résulte d'une question qui a été formulée d'une certaine manière. Rien ne garantit que la même question rédigée différemment aurait conduit aux mêmes résultats.

Par ailleurs, cette question a été posée à un moment donné, dans une situation historique déterminée. Or les situations évoluent, et les opinions aussi. Les résultats des sondages d'opinion sont donc par nature éphémères. Ils sont dans tous les cas étroitement liés à une conjoncture.

FORMATION DES OPINIONS ET DES ATTITUDES

Parmi les nombreux facteurs qui interviennent dans la formation des opinions individuelles, **le rôle des médias** est souvent présenté comme essentiel. Il est peu probable en effet, que la télévision, la presse, la radio, la publicité ou le cinéma n'aient aucune influence sur les opinions que défendent les individus.

Pour autant, l'image d'une multitude d'individus indépendants soumis à l'influence directe des médias, est une image fausse. Dans la formation des opinions, les relations qu'entretiennent les individus, en particulier au sein des groupes primaires (la famille, le groupe d'amis, les relations de travail, etc.) interviennent de manière tout aussi déterminante.

De nombreuses études, portant notamment sur les choix politiques des électeurs, ont montré qu'un individu donné est plus souvent convaincu par un ami influent que par les messages entendus dans les médias ou lus dans la presse. Certaines personnes, influencées par la presse et les moyens de diffusion, influencent à leur tour leurs voisins et les personnes avec lesquelles elles vivent.

Ce phénomène de relais existe dans tous les milieux et dans tous les groupes. Les personnes influentes, que certains sociologues appellent des « **guides d'opinion** », exercent ainsi un effet spécifique tenant d'une part, à leur compétence ou à leur aptitude à s'imposer, et d'autre part, à leur situation personnelle qui les met en rapport avec d'autres groupes. Un individu peut jouer un rôle de guide d'opinion dans un groupe, mais pas dans un autre. Il peut par ailleurs n'avoir d'influence que dans certains domaines particuliers.

Plus généralement, on peut dire que si les opinions d'un individu dépendent de sa personnalité et de son histoire personnelle, elles dépendent aussi des valeurs, des normes et des attitudes que partagent les personnes qui l'entourent, c'est-à-dire au fond de celles des groupes auxquels il appartient, ou auxquels il se réfère.

En ce qui concerne la formation des attitudes, les processus sont plus complexes. On peut imaginer que les attitudes les plus profondes et les plus diffuses, s'acquièrent au cours de la première enfance, et qu'ensuite, à mesure que l'individu grandit et que sa personnalité se forme, d'autres attitudes moins profondes et plus spécifiques, viennent se superposer aux premières.

Quoi qu'il en soit, au regard des opinions dont certaines peuvent changer assez facilement — dans la mesure où elles n'engagent l'individu que de manière assez superficielle — la plupart des attitudes sont stables, durables et complexes. Elles accompagnent l'individu tout au long de sa vie, et participent à l'assise de sa personnalité. En même temps, chaque individu peut être amené à modifier ses attitudes, voire à changer radicalement d'attitude, pour s'adapter à de nouvelles conditions de vie, ou pour être accepté par un autre groupe social. Mais ces modifications d'attitudes, qui vont parfois jusqu'à des renversements complets d'opinions et de comportements, se réalisent rarement du jour au lendemain. Elles sont bien souvent le résultat d'une assez longue préparation, consciente ou inconsciente. Car les attitudes assurent aussi une stabilité dans la perception des choses, et du monde. Changer d'attitude revient à adopter une autre perception du monde.

La perception — c'est-à-dire l'ensemble des processus grâce auxquels un individu acquiert une certaine image de son environnement — est toujours sélective et orientée. En face d'une réalité quelconque, chacun voit ce qu'il veut voir ou, plus précisément, ne voit que ce qui a un sens pour lui. Le phénomène de **la perception sélective** opère comme un filtre : certaines informations sont retenues, d'autres oblitérées.

Cette sélection des informations repose sur des attitudes acquises, attitudes qui se renforcent pour ainsi dire elles-mêmes, puisqu'elles conduisent à ne voir dans la réalité que ce qui leur est conforme. Le plus souvent, on perçoit ce que l'on a déjà enregistré, grâce à des apprentissages et à des habitudes qui ont fixé des attitudes. Il ne faut cependant pas négliger la dimension déstabilisatrice des échanges interindividuels, ni les changements d'attitudes que réclament plus globalement les transformations de la société.

Chapitre 11

POUVOIRS

Les relations entre les individus ou entre les groupes sociaux peuvent être fondées sur la réciprocité. Chacun fait valoir son point de vue et l'échange est libre et égal entre les personnes ou les organisations. Au sein d'un groupe d'amis ou de voisins d'un même immeuble cela peut se réaliser. Cependant, cette forme ne recouvre qu'une partie des relations sociales. Très souvent, telle personne montrera son autorité, telle autre essayera d'avoir de l'influence sur le groupe ou d'y prendre le pouvoir. S'établira ainsi une hiérarchie entre individus. Tous ces phénomènes diversifiés de pouvoirs doivent être examinés de manière détaillée.

INFLUENCE ET POUVOIR

Si l'on part de la situation relationnelle de deux individus, on dira que A a de l'influence sur B si A cherche à modifier le comportement de B dans un sens ou dans un autre et que B accepte cette manière de faire. Le pouvoir de A sur B va plus loin que cette influence. A aura du pouvoir sur B s'il agit sur le comportement de B en utilisant des moyens de contrainte morale ou physique, s'il y a une sanction à cette situation relationnelle, si B ne peut donc se soustraire sans dommage à l'influence de A.

Max Weber propose la définition suivante du pouvoir : « toute chance de faire triompher au sein d'une relation sociale, sa propre volonté, même contre des résistances »[1]. En ce sens le pouvoir apparaît comme la cause d'un comportement (d'action ou d'abstention), comme une restriction à la liberté d'autrui, ou comme un échange inégal.

Le pouvoir est donc un pouvoir d'injonction. L'assujetti à la relation de pouvoir doit s'incliner devant la prescription d'un comportement précis s'il veut éviter des sanctions. S'il ne s'incline pas, il encourt une punition qui peut lui être imposée par la contrainte, par la force. Le pouvoir juridique de l'État utilise à plein cette forme de l'injonction.

---

[1] Cité par Hermet (G.), Badie (B.), Birnbaum (P.) et Braud (P.), *in* : *Dictionnaire de la science politique*, Armand Colin, 1994, p. 221.

L'influence, au contraire, exclut la contrainte comme garantie de son effectivité. Elle suppose donc l'utilisation de ressorts différents, la mobilisation de ressources d'une autre nature : ce qui compte dans le cas de l'influence, ce sont les gratifications qui seront offertes en échange de l'acceptation du comportement suggéré. Ces gratifications peuvent être matérielles (argent, objets,...) ou symboliques (estime de soi, satisfaction, plaisir d'agir de telle manière,...) ou simplement ressortir de l'acquisition d'informations utiles (c'est le cas dans les phénomènes de persuasion).

Les sources du pouvoir sont multiples. A la base, il peut y avoir seulement une capacité physique plus grande, une force physique qui permet de manifester sa supériorité. L'appartenance à tel sexe ou telle classe d'âge peut également être une source de pouvoir : c'est ainsi que le pouvoir patriarcal s'est constitué. Il peut également s'agir d'une supériorité intellectuelle qui permet de mieux persuader, d'entraîner les gens, d'apparaître comme un modèle. La supériorité économique, le fait de posséder de grands biens, permet d'agir sur les autres directement ou indirectement, en les favorisant, en les privant de telle ou telle chose voire en les « achetant ».

Michel Foucault (1926-1984) a montré que toute forme de pouvoir est en même temps un savoir, et que le fait de savoir, ne fut-ce que les règles de fonctionnement de la société, donne du pouvoir : « les rapports de pouvoir (avec les luttes qui les traversent ou les institutions qui les maintiennent) ne jouent pas seulement à l'égard du savoir un rôle de facilitation ou d'obstacle ; ils ne se contentent pas de le favoriser ou de le stimuler, de le fausser ou de le limiter ; pouvoir et savoir ne sont pas liés l'un à l'autre par le seul jeu des intérêts ou des idéologies ; le problème n'est donc pas seulement de déterminer comment le pouvoir se subordonne le savoir et le fait servir à ses fins ou comment il se surimprime à lui et lui impose des contenus et des limitations idéologiques. Aucun savoir ne se forme sans un système de communication, d'enregistrement, d'accumulation, de déplacement qui est en lui-même une forme de pouvoir et qui est lié, dans son existence et son fonctionnement aux autres formes de pouvoir. Aucun pouvoir, en revanche, ne s'exerce sans l'extraction, l'appropriation, la distribution ou la retenue d'un savoir. A ce niveau, il n'y a pas la connaissance d'un côté et la société de l'autre, ou la science et l'État, mais les formes fondamentales du "pouvoir-savoir". »[1].

Michel Foucault décrit une microphysique du pouvoir dans laquelle des machines, des instruments, l'architecture, des structures spatiales d'urbanisation jouent un rôle essentiel. On connaît, dans les entreprises par exemple, le rapport entre la place dans la hiérarchie et la taille du bureau, l'épaisseur de la moquette... Le corps est directement plongé dans ce champ ; les rapports de pouvoir opèrent sur lui directement : ils l'investissent, le marquent, le dressent, les supplicient, l'astreignent à des travaux, l'obligent à des cérémonies, exigent de lui des signes. Mais, la notion de pouvoir enserre aussi bien des relations « microsociologiques » interpersonnelles, que des phénomènes structurels globaux des sociétés.

---

1 Foucault (M.), *Résumé des cours au Collège de France*, Julliard, 1989, pp. 19-20. Voir aussi *Surveiller et Punir*, Gallimard, 1975.

Dans ce cadre, le pouvoir d'État tient une place particulière. Pour Max Weber, l'État est le « groupe politique qui revendique avec succès, le monopole de la contrainte physique légitime ». L'État se présente donc comme une sorte de super-pouvoir, qui englobe et contient tous les autres pouvoirs. Au fur et à mesure que l'État se développe, il fait dépendre toutes les autres formes de pouvoir de la matrice qu'il institue. L'État agit évidemment directement par l'intermédiaire de son appareil répressif : la police, la justice, la prison, l'armée. Mais il agit également par ses appareils idéologiques, selon l'expression de Louis Althusser, tels que l'école, la télévision, voire l'église. Ainsi, l'État utilise la contrainte, mais il cherche également à persuader, à inculquer aux individus et notamment aux enfants dans la phase de socialisation première, les valeurs qui sont à la base de son existence.

Ainsi, hors les cas où l'État agit uniquement par la force brutale, le pouvoir repose sur une certaine forme de consentement des individus et des groupes. Ce consentement sera d'autant plus grand que le pouvoir est considéré comme légitime. Selon Max Weber, cette légitimité peut naître de la tradition, du charisme ou être fondée sur un mode légal-rationnel. En tout cas, un pouvoir semble légitime lorsqu'il apparaît comme justifié aux yeux de ceux qu'il contraint.

Cette idée de la légitimité du pouvoir fait que les assujettis participent à leur propre assujettissement en reconnaissant un pouvoir et ses acteurs. Pour Michel Foucault, c'est la relation elle-même entre détenteur du pouvoir et assujetti qui détermine le pouvoir : « plutôt que de demander à des sujets idéaux ce qu'ils ont pu céder d'eux-mêmes ou de leurs pouvoirs pour se laisser assujettir, il faut chercher comment les relations d'assujettissement peuvent fabriquer des sujets »[1]. Pour Foucault, il n'y a pas d'un côté, des individus munis de leurs droits fondamentaux et de l'autre un État qui veut affirmer sa souveraineté. Il n'y a pas de point central d'où découleraient toutes les sortes de pouvoirs mais des rapports de force qui s'entrecroisent.

Les formes d'organisation de l'État et les conceptions du pouvoir politique sont multiples et sont étudiées par la science politique. La théorie politique distingue d'ailleurs, depuis l'*Esprit des lois* de Montesquieu (1748), trois pouvoirs au sein de l'État : les pouvoirs législatif, exécutif, judiciaire. Le pouvoir législatif (en général incarné par un Parlement) fixe les règles, le pouvoir exécutif (chef d'État, gouvernement,...) les fait appliquer et le pouvoir judiciaire (les tribunaux) sanctionne les manquements à ces règles[2]. L'idée de Montesquieu consiste, par la séparation des pouvoirs, à éviter la dictature, de façon que « le pouvoir arrête le pouvoir ». Plus récemment, on a parlé de quatrième pouvoir en évoquant la presse écrite et audiovisuelle.

On est proche ici de la notion de contre-pouvoir. Pour éviter le pouvoir absolu, il est utile que, dans une société, des limites existent au pouvoir politique. L'opposition politique, face à la majorité qui gouverne, est une forme de contre-pouvoir attendant son heure pour gouverner. Les régimes qui pratiquent l'alternance politique admettent donc l'existence d'un contre-pouvoir permanent

---

[1] *Résumé des cours*, op. cit., pp. 85-86.
[2] Voir notamment Ignasse (G.), *Institutions politiques et administratives*, Ellipses, 1994.

qui se formalise même, dans le cas britannique, par un contre-gouvernement, le *shadow cabinet* ou cabinet fantôme.

La presse et surtout, aujourd'hui, la télévision jouent un rôle de contrôle du pouvoir politique en dénonçant les turpitudes éventuelles de ses acteurs. Ce faisant, elle peuvent apparaître comme un véritable contre-pouvoir capable de mettre en échec des hommes politiques (voir la démission du président américain Nixon en 1974 à la suite de la dénonciation par la presse de son rôle dans l'espionnage de l'immeuble du parti démocrate, le *Watergate*).

L'ensemble des mouvements sociaux, des syndicats, des groupes de pression (cf. chapitre sur « stabilité et changement social »), voire des groupes religieux,... qui ne participent pas directement au pouvoir politique peuvent apparaître comme des contre-pouvoirs. Dans un premier temps, ils cherchent à avoir une influence sur les acteurs de la vie politique. Mais si leurs demandes ne sont pas ou sont insuffisamment entendues, ils pourront se mettre à critiquer le pouvoir, à remettre en cause sa légitimité. Leurs moyens de contestation du pouvoir peuvent aller de la simple manifestation protestataire à l'action révolutionnaire.

AUTORITÉ

Le pouvoir, on l'a vu, renvoie à l'idée de structure. Le pouvoir est la structure qui encadre de manière institutionnelle des comportements d'autorité. L'autorité est un attribut des personnes ou des groupes alors que le pouvoir est une structure. Telle personne va d'ailleurs exercer son autorité grâce à la place qu'elle occupe dans une structure de pouvoir.

C'est l'ascendant qu'exerce un individu qui va lui donner de l'autorité, qui lui permet d'exercer son rôle de commandement. L'autorité peut naître quasi spontanément au sein d'un groupe restreint (comme une bande ou une horde). Des *leaders* apparaissent qui ne sont pas des chefs institués mais qui exercent cependant leur autorité. Les acteurs d'un pouvoir légitime peuvent manquer d'autorité, ne pas réussir à faire accepter leurs décisions. On voit ainsi la remise en cause de politiques mises en œuvre par un gouvernement qui vient pourtant de gagner les élections. A terme ce manque d'autorité peut remettre en cause sa légitimité.

En sens contraire, un pouvoir dépourvu de toute légitimité, comme celui d'un dictateur, peut faire preuve d'autorité, être reconnu. Les systèmes autoritaires sont d'ailleurs des dérives du fonctionnement à l'autorité. Finalement cette autorité va permettre à ce type de pouvoir « autoritaire » d'acquérir une certaine forme de légitimité : les plébiscites ou élections avec 98 % des voix ne s'expliquent pas seulement par la fraude électorale ou la contrainte, mais par une certaine part de consentement des gouvernés.

Alexis de Tocqueville (1805-1859) a montré que le monde occidental est passé historiquement d'un système d'autorité sociale à celui du pouvoir politique. L'autorité sociale s'exerçait essentiellement au sein de groupes sociaux restreints tels que les villages, les monastères, tandis que le pouvoir politique suppose des structures beaucoup plus importantes souvent désignées comme bureaucratiques, impersonnelles.

Les sociétés traditionnelles sont fondées sur l'autorité sociale. Les sociétés modernes sur le pouvoir politique. Pour la France, cette évolution s'est faite sur plusieurs siècles à travers l'effet de centralisation mis en œuvre par la monarchie absolue. Elle trouve son aboutissement dans la Révolution de 1789 qui achève ce processus de rationalisation.

HIÉRARCHIES

L'espace social est hiérarchisé. Il n'existe pas de société dans laquelle il n'y aurait aucune hiérarchie, aucune inégalité entre les individus ou entre les groupes. Ces inégalités peuvent impliquer des différenciations simplement fondées sur le prestige. Mais c'est surtout sur ces inégalités que s'appuient les divers pouvoirs. Les hiérarchies sociales ainsi créées débouchent notamment sur la stratification en forme de classes sociales (voir ce chapitre). Mais les classes ne sont pas les seules formes hiérarchiques.

Les discours religieux et mythologiques ont largement contribué à asseoir les hiérarchies sociales. On a noté que la conception indienne des castes découle d'une vision religieuse hiérarchisée du monde : « l'unité hiérarchique du système des castes est une combinaison de relations différenciées »[1].

Dans la Bible, l'inégalité de l'homme et de la femme est fondée sur la description de la création de l'espèce humaine : alors qu'un premier récit semble indiquer une apparition de l'espèce humaine comme « homme et femme », dans un second récit, Adam, le premier homme, est créé à partir de rien par Dieu alors qu'Ève est créée à partir de la chair d'Adam : « Dieu fit tomber un profond sommeil sur l'homme, qui s'endormit. Il prit une de ses côtes et referma la chair à sa place. Puis, de la côte qu'il avait tirée de l'homme, Dieu façonna une femme et l'amena à l'homme » (Genèse, II, 21-22).

Le Coran rappelle une hiérarchie des êtres et des choses déjà évoquée par la Bible et considérée comme naturelle : « Dieu vous a soumis tout ce qui est dans les cieux et sur la terre ; tout vient de lui » (Sourate 45, 12). Ainsi les monarchies de droit divin (comme celle de l'Ancien Régime en France) ont-elles essayé de légitimer leur pouvoir hiérarchique à partir du discours religieux.

Toutefois, la hiérarchie divine peut remettre en cause les hiérarchies humaines. Dans la Torah juive, Dieu punit son peuple infidèle en le soumettant au pouvoir des méchants, en l'emmenant en captivité en Égypte par exemple (cf. Genèse et Exode). Dans les Évangiles chrétiens, on rappelle que la hiérarchisation du monde n'est pas éternelle et s'inversera : « Heureux vous les pauvres, car le Royaume de Dieu est à vous » (Évangile de Luc XX, 6). Dans le Coran, les riches se plaignent que la révélation n'ait pas été faite à des hommes puissants de la Mecque et de Médine et en prennent prétexte pour ne pas y croire « Ils disent : si au moins le Coran avait été révélé à un des hommes puissants de deux villes nous aurions pu y croire »[2]. Ce à quoi le Coran rétorque : « Sont-ils distributeurs des faveurs divines ? C'est nous qui leur distribuons leur subsistance

---

1   Maffesoli (M.), *L'Ombre de Dyonisos*, Éd. Méridiens Klincksieck, 1982, p. 97.
2   Sourate 43, 30.

dans ce monde ; nous les élevons les uns au-dessus des autres, afin que les uns prennent les autres pour les servir. Mais la miséricorde de Dieu vaut mieux que les biens qu'ils ramassent »[1].

Les classements opérés dans la société ont débouché sur la théorie des classes sociales, notamment illustrée par Marx (voir ce chapitre). Mais certains sociologues ont étendu le concept de classe pour rendre compte de hiérarchies diverses. Pierre Bourdieu définit ainsi les critères de classement hiérarchique des humains : « Pour rompre avec l'ambition, qui est celle des mythologies, de fonder en raison les divisions arbitraires de l'ordre social, et d'abord la division du travail, et de donner ainsi une solution logique ou cosmologique au problème du classement des hommes, la sociologie doit prendre pour objet, au lieu de s'y laisser prendre, la lutte pour le monopole de la représentation légitime du monde social, cette lutte des classements qui est une dimension de toute espèce de lutte des classes, classes d'âge, classes sexuelles ou classes sociales »[2].

La notion de classe d'âge permet d'identifier des groupes sociaux dont la configuration peut évoluer. Jusqu'au XVIIIᵉ siècle, on passait presque directement de l'enfance à l'âge adulte et les personnes très âgées, qui ont toujours existé dans l'histoire de l'humanité, étaient très minoritaires en nombre du fait de la faible espérance de vie. Le développement et l'allongement de la période de l'adolescence (pratiquement de 12 à 25 ans voire au-delà, c'est-à-dire aussi longtemps que l'enfance), celui du « troisième âge » (ramené de 65 à 60 ans avec l'abaissement de l'âge de la retraite) voire du « quatrième âge » (à partir de 75 ans), ont transformé les rapports entre les classes d'âge. Les valeurs sociales dominantes donnent la préférence à l'idée de jeunesse et la mise en préretraite forcée dès 50 ans du fait de la crise économique prolongée contribue à séparer des classes d'âge différenciées.

Les hiérarchies fondées sur le sexe, désignent aussi bien des différences de genre que d'orientations sexuelles. Elles correspondent tout d'abord à la dénomination de la séparation essentielle du genre humain en deux sexes : les hommes et les femmes. On parle de premier et de deuxième sexes[3] impliquant immédiatement une hiérarchie. Même dans une société qui prône l'égalité des droits entre hommes et femmes comme la société française actuelle, il subsiste, par exemple, des différences notables de salaire au détriment des femmes. De même, les femmes sont très peu représentées dans la classe politique (6 % des députés étaient des femmes en 1993). Ceci a conduit au débat et à la révision constitutionnelle française sur la parité hommes-femmes dans la vie politique (1999).

Quant aux orientations sexuelles minoritaires (homosexualité masculine et lesbianisme, pédophilie, gérontophilie, transsexualisme,…) elles sont, sinon réprimées, du moins souvent considérées socialement comme inférieures par rapport à la norme hétérosexuelle. On peut toutefois noter une évolution avec l'égalité des droits entre homosexualité et hétérosexualité dans des pays comme la France (1982) et la reconnaissance du changement de sexe par la Cour de Cassation (11

---

[1]   Sourate 43, 31.

[2]   Bourdieu (P.), *Leçon sur la leçon*, Éd. de Minuit, 1982.

[3]   cf. de Beauvoir (S.), *Le Deuxième sexe*, Gallimard, 1949, renouvelé en 1976.

décembre 1992) à la suite d'une injonction de la Cour européenne des droits de l'homme.

Pierre Bourdieu pense que les hiérarchies existent dans chaque « champ social », dans le domaine économique comme dans les domaines scientifique, religieux, politique ou scolaire. Pour chaque individu et dans l'ensemble de la société, ces hiérarchies se combinent. Reprenant et prolongeant la théorie des classes sociales à l'époque du capitalisme qui fonde la hiérarchie sociale sur la possession de capital, Pierre Bourdieu distingue trois types de capital : le capital économique, qu'il soit hérité ou acquis, détermine tout d'abord une position de classe, dominante, moyenne ou populaire. Le fait de naître dans une famille riche ou pauvre, le fait de s'enrichir ou d'être ruiné donnent l'importance de ce capital économique. A l'époque du capitalisme, ce capital joue un rôle essentiel mais il n'agit pas seul pour fixer les hiérarchies sociales.

Le capital culturel est formé du capital scolaire acquis, des biens culturels possédés (œuvres d'art, livres,...) mais aussi des pratiques qui forment des *habitus* (visites de musées, pratique d'un instrument de musique ou de la peinture,...). Ce capital acquis vient conforter ou infléchir la position de classe. Dans les sociétés développées, et spécialement en France, où existe un véritable culte du diplôme, le système scolaire est un des vecteurs essentiels de l'acquisition du capital culturel. L'élévation du niveau général d'instruction de la population et la multiplication du nombre des étudiants participent à ce phénomène. Toutefois, le capital culturel est aussi fait de diverses manières d'être, de se comporter et d'agir qui dépassent le cadre scolaire. L'école est d'ailleurs assez incapable en France de transmettre les pratiques culturelles entendues au sens strict de pratiques artistiques. Celles-ci peuvent devenir des éléments de la distinction[1].

Le capital social est fait de l'ensemble des relations sociales qui peuvent être utilisées par un individu : ces réseaux de relations, le fait d'appartenir à tel groupe (adhérer à un syndicat ouvrier ou au Rotary Club n'a pas les mêmes causes ni les mêmes conséquences) vont également agir sur la situation hiérarchique de la personne concernée. « Se faire des relations » va permettre de grimper dans l'échelle sociale. Un mariage avec une personne d'une couche sociale supérieure élargit le champ de relations et peut permettre de s'élever socialement, à condition toutefois que les différences culturelles ne constituent pas un empêchement.

On le voit plusieurs phénomènes agissent sur les hiérarchies sociales et se combinent pour déterminer la place de chacun. Chaque capital est aussi un capital symbolique qui implique une position particulière de prestige. Un grand intellectuel peut être pauvre mais jouir d'un prestige social fort. Dans la situation de crise économique de l'emploi, « avoir des relations » permet de compléter le capital économique et le capital culturel pour trouver un travail.

Plus généralement, on assiste à une combinaison des différentes formes de capital qui va dans le sens de la reproduction sociale[2]. « Pourtant, ceux qui déplorent le pessimisme désenchanteur ou les effets démobilisateurs de l'analyse

---

[1] Voir Bourdieu (P.), *La Distinction*, Éd. de Minuit, 1979.
[2] Voir Bourdieu (P.) et Passeron (J.C.), *La Reproduction*, Éd. de Minuit, 1970.

sociologique lorsqu'elle formule par exemple les lois de la reproduction sociale sont à peu près aussi fondés que ceux qui reprocheraient à Galilée d'avoir découragé le rêve du vol en construisant la loi de la chute des corps. Énoncer une loi sociale comme celle qui établit que le capital culturel va au capital culturel, c'est offrir la possibilité d'introduire [...] les éléments modificateurs [...] qui, si faibles soient-ils en eux-mêmes peuvent suffire à transformer dans le sens de nos souhaits le résultat des mécanismes »[1].

Ainsi les hiérarchies sociales si elles existent dans toutes les sociétés (sauf les utopiques sociétés communistes) n'apparaissent pas comme quelque chose d'inné et d'intransformable. La connaissance des mécanismes de leur action permet de déterminer les conditions et les moyens d'une action pour les contester. C'est ainsi que les mouvements d'émancipation agissent après avoir enquêté sur la situation de la catégorie dont ils veulent remettre en cause la place subordonnée.

---

[1] Bourdieu (P.), *Leçon sur la leçon, op. cit.*, pp. 19-20.

Chapitre 12

STABILITÉ
ET CHANGEMENT SOCIAL

L'analyse sociologique risque toujours de présenter les sociétés comme quelque chose de figé. L'étude des cadres institutionnels sociaux peut conduire à considérer les choses comme soumises à un ordre immuable. La réalité est plus complexe. Dans chaque société, certains éléments tendent à la stabilité de celle-ci, à la pérennisation des modes de vie existants. Mais d'autres éléments conduisent à des changements sociaux qui affectent aussi bien les structures de la société que la vie concrète des individus.

Selon les cas, les éléments stabilisateurs sont plus importants que les phénomènes de changement ou inversement. Même les sociétés les plus traditionnelles connaissent des interrogations qui mettent en cause, au moins partiellement, leurs manières d'être. Même les sociétés modernes les plus soumises au changement continuel laissent apparaître des permanences fondées sur le très long terme. Ainsi le sociologue Michel Maffesoli remarque que l'ère post-moderne est caractérisée par des éléments archaïques mélangés avec de la technologie : sur l'Internet, on parle de tribus, par exemple.

CONFLIT ET ROUTINE

Ce sont les ethnologues qui, les premiers, ont mis en avant la contradiction entre routine et conflit dans les sociétés traditionnelles que l'on a souvent qualifiées, à tort, de primitives.

D'un côté, il apparaît clairement que, dans ces sociétés, les institutions et les comportements semblent régis par des règles inchangées depuis des temps immémoriaux. Fernand Braudel, par exemple, a montré les constantes de la civilisation méditerranéenne (caractérisée notamment par la cuisine à l'huile !). L'ensemble des manières de vivre obéit à des règles traditionnelles et l'intégration de chacun à ce système fait qu'il est très difficile de déroger à ces obligations sans prendre le risque d'être complètement exclu de la vie sociale. La société reproduit de génération en génération les mêmes habitudes. Finalement, c'est une forme de routine qui s'installe pour longtemps.

Cependant, sans même envisager les événements venus de l'extérieur qui pourraient modifier cet équilibre routinier, on peut remarquer que l'agressivité existe dans toutes les sociétés et qu'il faut donc chercher à régler les conflits qui peuvent surgir ici ou là. Certaines sociétés ont ritualisé le conflit de manière à le circonscrire et à l'intégrer au fonctionnement normal de la vie quotidienne : ainsi certains indiens du Canada utilisent un jeu agressif et dominateur fondé sur l'échange de cadeaux appelé le *potlach* ; il s'agit de faire un cadeau à autrui de manière qu'autrui devienne votre obligé ; il ne pourra se délivrer de cette dépendance à votre égard qu'en vous faisant un contre-cadeau de valeur supérieure. S'il ne peut le faire, il est humilié. Dans d'autres sociétés, comme la société corse, on connaît des phénomènes plus violents de conflit ritualisé : ainsi, la vendetta qui consiste à transmettre de génération en génération le devoir de vengeance entre deux familles.

Les conflits peuvent prendre la forme de crises qui remettent en cause les fondements même de la société considérée. Les crises sont elles-mêmes susceptibles de modalités diverses. Ainsi, si l'on compare l'histoire de la France et de la Grande-Bretagne, on constate que la remise en cause de la monarchie absolue s'est faite de manière très différente : plus tôt et de manière plus évolutive outre-Manche que chez nous. En France, il a fallu passer par la grande crise de la Révolution de 1789 et de toutes ses suites pour aboutir à une situation que l'Angleterre avait connue déjà presque un siècle avant nous.

Les conflits, et encore plus les crises, permettent de mettre en avant les groupes d'adversaires qui ne se manifestent pas comme tels en période de stabilité. De nouvelles alliances se créent en fonction des intérêts de chacun. Une redistribution des rôles sociaux s'ensuit. Sauf si la crise se termine par un retour à la situation antérieure (contre-révolution), le conflit génère un changement social. Ce changement peut se faire progressivement par l'intermédiaire de politiques réformistes ou brutalement par un processus révolutionnaire.

La forme la plus grave du conflit est évidemment la guerre. La guerre civile a des effets assez voisins de ce qu'on vient d'évoquer. Mais s'agissant de la guerre entre deux peuples ou deux États, la victoire de l'un et la défaite de l'autre peut entraîner la remise en cause complète des cadres sociaux du vaincu ; le vainqueur voudra imposer ses propres conceptions : on peut comprendre cette situation en pensant à l'Alsace-Lorraine convoitée par l'Allemagne et la France et occupée par l'Allemagne de 1870 à la Première Guerre Mondiale, ou encore aux effets des guerres coloniales sur les pays colonisés.

On peut définir plusieurs critères qui vont entraîner une situation de stabilité ou au contraire de changement social : il s'agit de la démographie, de l'état des techniques, de celui de l'économie, et des critères idéologiques. D'un autre côté, la stabilité ou le changement social ne dépendent pas seulement de facteurs plus ou moins objectifs ; il y a aussi des acteurs dont l'action est au moins partiellement autonome de ces facteurs. Ce sont des agents que l'on peut regrouper sous les appellations d'élites, partis, mouvements sociaux et groupes de pression.

CRITÈRES

La démographie est un critère important de la stabilité ou du changement dans une société. Les situations démographiques ne sont pas identiques dans toutes les régions du monde et à toutes les époques. On peut noter que les sociétés traditionnelles les plus stables opèrent parfois une régulation démographique afin, précisément, que l'augmentation trop importante de la population ne vienne pas mettre en cause l'organisation de la société. Plus généralement, l'histoire de l'humanité montre des phases d'augmentation, de stabilisation voire de diminution des populations selon les régions. Les grandes épidémies, les conquêtes, les colonisations, les grands mouvements de population ont notablement modifié dans un sens ou dans l'autre les réalités démographiques.

TABLEAU VI

Évolution de la population mondiale par grandes régions (en millions)

	an 0	1000	1500	1750	1900	1970
Chine	70	56	84	220	415	774
Inde-Pakistan-Bangladesh	46	40	95	165	290	667
Sud-Est asiatique	47	33	23	28	38	118
Reste de l'Asie	5	19	33	61	115	386
Europe (sans URSS)	31	30	67	111	295	462
URSS	12	13	17	35	127	243
Afrique du Nord	14	9	9	10	43	87
Reste de l'Afrique	12	30	78	94	95	266
Amérique du Nord	2	2	3	3	90	228
Amérique centrale et du Sud	10	16	39	15	75	283
Océanie	1	1	3	3	6	19
Total monde	252	253	461	771	1634	3637

Source : J.N. Biraben, *Population*, 1979, n°1.

Dans l'évolution démographique, on distingue trois modèles qui, pour l'Occident ont constitué trois phases successives. Dans un premier temps, on a une situation marquée par une forte natalité et une forte mortalité : la mortalité infantile est forte ; l'espérance de vie est faible ; il est donc nécessaire qu'un grand nombre d'enfants naisse pour assurer seulement le renouvellement de la population. L'accroissement de la population se fait très lentement avec des retours en arrière dus aux guerres, aux famines... La population française a mis quatre siècles pour doubler entre 800 et 1300, et l'espérance de vie moyenne à Paris à la naissance était de trente ans au milieu du XVIIIe siècle.

Le deuxième temps voit une croissance importante de la population qui commence par une baisse de la mortalité infantile et une importante prolongation de la durée moyenne de la vie humaine. Pour l'Europe, cette transition démographique est intervenue dans la deuxième partie du XVIIIe siècle et surtout au

XIXᵉ siècle. Les principales causes de cette transformation ont été médicales et sociales.

La troisième phase est celle d'une baisse de la fécondité due à la transformation de la famille, à la scolarisation des filles et à la participation des femmes au travail salarié cependant que l'espérance de vie ne cesse d'augmenter. On aboutit alors à une croissance démographique faible, voire nulle ou négative comme c'est le cas actuellement en Europe ou en Amérique du Nord, tandis que les pays en développement sont dans la situation de la deuxième phase : c'est ainsi que la Chine compte déjà plus d'un milliard d'habitants mais commence à contrôler la natalité et que l'Inde (qui contrôle moins la natalité) va la rejoindre et la dépasser au début du troisième millénaire.

TABLEAU VII

Évolution de la population mondiale (en millions)

	1970	1980	1990	2025
Afrique	362	477	642	1582
Amérique latine	286	363	448	702
Amérique du Nord	226	252	276	360
Asie	2102	2583	3113	4900
Europe (sans URSS)	460	484	498	542
Océanie	19	23	26	41
URSS	243	266	289	344
Monde	3698	4448	5292	8472

Source et projection : *État du monde*, La Découverte, 1992 et 1995.

Les taux de croissance qui étaient dans le monde de 2,06 % par an en 1965-70 ne sont plus que de 1,74 % en 1985-90 et devraient s'abaisser à 1,33 % en 2005-10. Mais derrière ces taux moyens se cachent des réalités très contrastées avec un risque de surpopulation dans certaines régions du monde tandis que d'autres reproduisent à peine leur population.

Si l'on ajoute que les pays riches sont ceux où la population augmente peu, tandis que ce sont les pays pauvres, surtout d'Asie, qui connaissent la plus grande augmentation de population, on peut penser que des déséquilibres graves sont à prévoir pour le prochain millénaire.

Le critère technique est une variable importante pour analyser l'état d'une société. On parle d'ailleurs d'âge du fer ou d'âge de la pierre pour telle ou telle période de développement de l'activité humaine.

On désigne généralement la première période où apparurent les civilisations humaines avec des outils de pierre taillée sous le nom de paléolithique. Puis vient le mésolithique, période intermédiaire située entre 12 000 et 6 000 avant Jésus-Christ. Ensuite, le néolithique est l'âge de la pierre polie. L'âge du bronze (ou d'airain) désigne le deuxième millénaire avant notre ère et l'âge du fer le premier millénaire avant Jésus-Christ.

Plus près de nous, les développements de l'industrie (secteur secondaire) ont transformé des sociétés largement marquées par l'agriculture et ses techniques. Les techniques industrielles ont elles-mêmes donné naissance à une période marquée par l'automatisation, l'informatique. Là encore, les techniques jouent un rôle important dans la définition de l'organisation du travail et plus généralement des modes de vie. La société se transforme au fur et à mesure que les techniques évoluent. Les techniques de communication (automobiles, avions mais aussi informatique, satellites, câble, internet…) transforment la réalité sociale en profondeur.

On le voit l'invention et l'utilisation d'outils, de machines influent sur le fonctionnement social, sur les conditions de travail et évidemment plus globalement sur le mode de production lui-même.

C'est ainsi que le **facteur économique** vient compléter le facteur technique. On a déjà évoqué[1] les analyses de Marx et Engels sur le rôle de l'infrastructure économique dans la détermination de l'organisation sociale. Reste à savoir l'importance de ce déterminisme. En fait, il est certain que la base économique « limite les activités des groupes et des individus ; elle leur inflige des entraves ; elle fixe en les bornant leurs possibilités » selon la phrase d'Henri Lefebvre[2]. Mais, la base économique fixe aussi des objectifs orientés vers un dépassement et des transformations sociales. En tout état de cause, cela ne signifie pas que le critère économique soit le seul critère de la stabilité ou du changement social.

Les **critères idéologiques** viennent s'ajouter aux facteurs démographiques, techniques ou économiques. Dans ce cadre, les valeurs d'une société peuvent jouer un rôle de défense de l'ordre établi ou de remise en cause de celui-ci. Il en va ainsi, par exemple, des valeurs religieuses : là où existe une religion d'État établie et imposée à tous, la religion joue un rôle de stabilité sociale indéniable. Au contraire, les religions peuvent servir de moteur à la remise en cause de l'ordre social existant au nom d'une idéologie différente de celle qui est dominante à un moment donné dans une société donnée : Max Weber l'a montré pour l'éthique du protestantisme : la Réforme a permis l'essor du capitalisme contre le système aristocratique. C'est ainsi également, que l'islamisme radical a renversé le pouvoir du shah en Iran avant d'imposer lui-même son ordre social.

S'il est faux de dire que « les idées mènent le monde », elles contribuent néanmoins à l'organiser et à le transformer. Les systèmes d'idées se cristallisent en idéologies et cherchent à décrire le monde, à l'interpréter, à justifier telle situation, à mettre en cause telle autre, ce qui va permettre d'orienter l'action sociale dans le sens de la transformation ou de la conservation. Ainsi, on aura aussi bien des idéologies réactionnaires (qui proposent un retour en arrière) que conservatrices (qui veulent pérenniser l'existant) ou réformistes (qui proposent de transformer progressivement la société) voire révolutionnaires (qui veulent tout changer).

Les idéologies libèrent des énergies autant qu'elles les canalisent. Elles ont souvent un caractère simplificateur de la réalité, précisément dans le but d'agréger le

---

[1] Voir le premier chapitre et celui sur les classes sociales.
[2] Lefebvre (H.), *Sociologie de Marx*, PUF, 1966, p. 12.

maximum de gens autour d'un commun dénominateur stéréotypé. L'idéologie va permettre d'influencer le pouvoir, voire de s'emparer du pouvoir.

Les critères idéologiques ne sont pas indépendants eux-mêmes des autres critères évoqués ci-dessus. Le degré d'influence de chacun d'eux est difficile à établir mais toute analyse qui rejetterait totalement l'un ou l'autre serait déficiente.

AGENTS

Les critères évoqués ci-dessus n'agissent pas abstraitement. Ils se réalisent par l'intermédiaire d'agents spécifiques. Dans toute société, les élites jouent un rôle particulier. Mais des éléments plus formalisés peuvent chercher à influencer la réalité sociale pour la conserver ou pour la transformer : les partis politiques, les mouvements sociaux et les groupes de pression agissent chacun avec leurs moyens pour la réalisation de leurs objectifs.

Les élites

Pour le sens commun, l'élite désigne les personnes qui sont considérées comme les meilleures, les plus remarquables dans une société donnée. L'appartenance aux classes dirigeantes donne du pouvoir, mais ce pouvoir peut être exercé par des gens médiocres. Ce que représentent ou possèdent ces gens compte plus que ce qu'ils sont vraiment eux-mêmes.

Au contraire, l'appartenance à l'élite consiste dans le fait que certaines personnes manifestent des qualités exceptionnelles, ont des aptitudes éminentes dans un ou plusieurs domaines d'activité, selon la définition donnée par Pareto[1]. Appartenir à une élite résulte, dans cette conception, à la fois de dons naturels et d'efforts personnels pour développer ces dons. Ainsi, on pourra parler de l'élite de la classe ouvrière, ou d'une élite des scientifiques.

Pour Pareto, l'élite n'est pas héréditaire : les fils de prix Nobel ne deviennent presque jamais prix Nobel. Il y a donc une circulation des élites, un remplacement des élites anciennes par de nouvelles. Ceci a une double fonction, qui peut d'ailleurs paraître contradictoire : maintenir l'ordre social en assurant la mobilité ascendante des meilleurs dans les classes sociales défavorisées (c'est le modèle américain de la réussite individuelle) ; participer au changement social, dans la mesure où la circulation des élites amène de nouvelles idées, de nouvelles façons de penser et d'agir. On le voit, la conception de Pareto est élitiste, au sens où il considère que, dans toute société, l'autorité est détenue par les meilleurs. Mais cette élite n'est pas figée ; au contraire, elle est perpétuellement renouvelée par le phénomène de la circulation.

Les élites ne sont pas seulement formées de ceux qui exercent directement le pouvoir. L'appartenance à l'élite n'implique pas obligatoirement d'avoir un poste

---

[1] Pareto (V.), *Traité de sociologie générale*, Payot, 1919, vol. II.

d'autorité. En revanche, elle permettra d'avoir une influence qui pourra jouer un rôle dans la vie de la collectivité. L'utilisation, par les télévisions, des « grands chercheurs » ou des académiciens pour commenter tel ou tel fait d'actualité relève de cette influence. Ceux-ci ne prennent pas directement les décisions, contrairement aux hommes politiques, mais ils peuvent avoir une influence sur la définition des politiques publiques.

On peut chercher à réaliser une typologie des élites à partir du fondement sur lequel repose leur autorité ou leur influence[1]. Six catégories apparaissent alors :

• Les élites traditionnelles trouvent dans le passé et une longue tradition la source de leur pouvoir et de leur influence. Les chefs de tribu dans les sociétés dites primitives, la noblesse sous l'Ancien Régime ressortissent de cette catégorie. Les élites religieuses des grandes religions instituées jouent un rôle identique en s'appuyant sur un corpus dogmatique qui assoit leur autorité.

• Les élites technocratiques fondent leur existence sur les compétences qu'on leur suppose. Ces compétences sont acquises à travers des cursus spécifiques et non à partir de l'hérédité par exemple. En France, il s'agit des cadres issus de ce qu'on appelle les « grandes écoles » et spécifiquement de hauts fonctionnaires issus de l'École Nationale d'Administration qu'on désigne souvent sous le terme de « grands commis de l'État ».

• Les élites de propriété tiennent leur autorité du pouvoir économique qu'elles exercent à travers la possession de capitaux. Ce sont les grands propriétaires fonciers (latifundiaires en Amérique latine, par exemple), les grands industriels (ex. : la famille Michelin en France) et les financiers (ex. : les spéculateurs boursiers). Ces élites sont capables, non seulement d'exercer leur pouvoir sur les travailleurs qui dépendent d'eux, mais plus généralement d'influer sur les autres élites, voire sur les politiques économiques des États qu'elles peuvent aller jusqu'à remettre en cause.

• Les élites charismatiques (du grec « *charisma* », qui signifie la grâce) ne tiennent leur influence que de leurs qualités personnelles qui dépassent l'ordinaire et qui sont parfois considérées quasiment comme magiques. Ces élites charismatiques savent entraîner les populations par la force de leur discours ou même par leur simple présence. Les prophètes ont cette fonction. Le pouvoir de Napoléon Bonaparte ou du Général de Gaulle avant (et même après) qu'il ne repose sur une base légale a largement participé de ce rôle charismatique.

• Les élites idéologiques sont formées de penseurs, de philosophes, de politologues,... qui cherchent à construire un discours idéologique pour conforter l'organisation d'une société ou pour la contester. Sans avoir la force de conviction personnelle des élites charismatiques, elles participent à la définition de références idéologiques. Ces élites sont souvent des élites de contestation ou contre-élites dans la mesure où elles remettent en cause l'ordre existant.

• Les élites symboliques incarnent certaines valeurs ou manières de vivre et d'agir. Sans chercher à avoir un discours démonstratif construit, elles représentent, par leur façon d'être, une référence pour un grand nombre de gens. Les

---

[1] cf. Rocher (G.), *Le Changement social*, Points Seuil, 1968, pp. 135 s., qui reprend et complète la théorie de Max Weber.

artistes les plus populaires jouent particulièrement ce rôle d'élites symboliques. Parmi eux, les chanteurs placés au « top » du « hit-parade » mondial ont l'influence la plus importante notamment sur les adolescents pour qui ils deviennent de véritables « idoles ».

La multiplication des élites est un facteur de développement des sociétés. En même temps, elle peut provoquer des conflits, le ressort de l'action de chacune des élites étant différent de celui d'une autre. Cela contribue alors à l'accélération du changement social. L'ensemble des élites agit par l'intermédiaire de trois modalités qui tiennent une place plus ou moins grande selon le type d'élite dont il s'agit.

La plupart des élites jouent un rôle d'exemplarité, au moins pour une partie de la société dans laquelle elles se trouvent. Les individus s'identifient à telles personnes de l'élite et construisent leur vie par rapport à elles. Presque toutes les élites contribuent aussi à la définition collective des références des sociétés. Il s'agit de représentations mentales, de sentiments que les élites formalisent. Enfin, les élites participent à la prise de décisions à l'intérieur des sociétés où elles se trouvent. Selon le cas, cette participation sera plus ou moins directe, certaines élites exerçant par elles-mêmes le pouvoir politique ou économique, d'autres se contentant de chercher à influencer ces pouvoirs dans tel ou tel sens.

Les partis politiques

Les partis politiques sont des acteurs importants dans la vie des sociétés modernes. Selon leur orientation, selon la politique qu'ils préconisent lorsqu'ils revendiquent le pouvoir ou qu'ils sont au pouvoir, leur action participe à la conservation de l'état existant ou aux mutations sociales. En France, tout particulièrement, les notions de droite et de gauche ont longtemps manifesté le partage entre deux grands courants : l'Ordre et le Mouvement.

Le terme parti n'a pas toujours correspondu aux organisations structurées que nous connaissons aujourd'hui. Au Moyen Age, on désignait sous le nom de parti une troupe de gens de guerre qu'on envoyait battre la campagne. L'expression « prendre parti » correspond à un choix d'orientation et s'est d'abord appliquée à des simples coteries, clubs ou factions qui ont existé dans divers régimes politiques. Mais, depuis le XIXe siècle, l'idée de compétition pour le pouvoir a donné aux partis politiques un autre rôle : il s'agit de groupements qui se placent dans la compétition électorale pour le pouvoir. L'élargissement progressif du suffrage a conduit les partis à dépasser la fonction de simples groupes parlementaires pour devenir des organisations puissantes cherchant à conquérir l'électorat, voire de véritables « machines électorales » voulant contrôler les électeurs comme aux États-Unis.

Max Weber définit ainsi les partis politiques : « On doit entendre par partis des associations reposant sur un engagement (formellement) libre ayant pour but de procurer à leurs chefs le pouvoir au sein d'un groupement et à leurs militants actifs des chances — idéales ou matérielles — de poursuivre des buts objectifs, d'obtenir des avantages personnels ou de réaliser les deux ensemble »[1].

LaPalombara et Weiner ont cherché à définir les caractéristiques essentielles des partis politiques[2] : tout d'abord les partis se caractérisent par une organisation durable à la différence des cliques et clientèles constituées à un moment donné. Ensuite, les partis ont une organisation complète du niveau local à l'échelon national ce qui les distingue des groupes parlementaires réunissant plusieurs députés ; d'autre part, les dirigeants des partis politiques ont la volonté d'exercer directement le pouvoir et non pas d'influencer seulement le pouvoir comme peuvent le faire certains mouvements sociaux ou groupes de pression. Enfin, les partis recherchent le soutien populaire contrairement à ce que font de simples clubs de réflexion politique.

L'origine des partis politiques est assez diversifiée : certains partis sont nés des groupes parlementaires : ainsi, en Angleterre c'est l'opposition entre les partisans du Roi et ceux du Parlement, qui a donné naissance aux deux groupes *tory* et *whig* qui se sont ensuite transformés en partis conservateur et libéral. D'autres partis sont nés de la volonté d'une classe sociale d'être représentée : les partis social-démocrate, travailliste, socialiste et communiste ont eu cette volonté de représenter la classe ouvrière. Certains partis politiques veulent exprimer la revendication nationale d'un peuple (Front de Libération Nationale Algérien) ; d'autres ont une base ethnique ou religieuse (parti islamiste, parti démocrate-chrétien,…) ou se forment à partir d'un mouvement social (partis écologistes).

Il existe des **types variés** de partis politiques. Maurice Duverger a apporté une première distinction entre partis de cadres et partis de masses[3]. Il ne s'agit pas d'une différence de taille entre partis politiques mais de structure : les partis de cadres cherchent d'abord à réunir des notables et non à regrouper le plus grand nombre d'adhérents possibles. Au contraire les partis de masses font des adhérents la substance même de leur action. Les cotisations des adhérents sont l'essentiel de leur financement. A cet égard, en France, les petits groupuscules gauchistes ou le Parti Communiste Français constituent des partis de masses alors que le Parti radical d'aujourd'hui est un parti de cadres.

LaPalombara et Weiner (*op. cit.*) ont mis en avant l'idée du parti de rassemblement (*catch-all party*, littéralement parti-attrape-tout) qui dépasserait la distinction précédente et qui s'appliquerait, par exemple, au parti gaulliste en France. Ceci a amené Jean Charlot[4] a compléter la typologie de Duverger en distinguant trois catégories de partis : les partis de notables (par exemple, les radicaux), les partis de militants (le parti communiste), et les partis d'électeurs (les gaullistes) fondés sur une idéologie assez large s'appuyant sur les élections pour intégrer les électeurs sans chercher à en faire des militants.

On distingue des **systèmes de partis** différenciés selon le nombre de partis existants dans un pays donné. Hors le cas où il n'y a aucun parti politique

---

[1] Weber (M.), *Économie et Société*, Plon, 1971, p.292.

[2] LaPalombara (J.) et Weiner (M.), *Political parties and political development*, Princeton University Press, 1966.

[3] Duverger (M.), *Les Partis politiques*, Armand Colin, 1951.

[4] Charlot (J.), *Le Phénomène gaulliste*, Fayard, 1970.

comme dans certaines dictatures, on trouve un parti unique dans certaines cir-
constances : il s'agit tout d'abord des États nouvellement créés, notamment à la
suite de la décolonisation, où le parti qui a mené la lutte de libération nationale
veut incarner à lui seul l'ensemble des réalités politiques. Il peut s'agir d'un choix
idéologique comme c'est le cas dans la théorie marxiste : les partis communistes
en Europe de l'Est et en Chine ont été (et sont encore pour la Chine) des partis
uniques parce qu'ils sont censés représenter la classe ouvrière, seule classe
révolutionnaire capable de conduire le peuple au communisme. En général, les
régimes autoritaires sont des régimes de parti unique ; les dirigeants préfèrent ce
système à l'absence de parti dans le but de mieux enrôler la population (cf. les
partis nazi et fasciste).

On trouve un système bipartisan essentiellement dans les pays qui pratiquent le
scrutin majoritaire à un tour. Dans ce mode de suffrage, celui qui est élu est
celui qui a le plus de voix . On a donc intérêt à regrouper les candidatures dans
un duel entre deux personnes, sinon on peut avoir des résultats aléatoires : ainsi
s'il y a trois candidats, et si A a 40 % des voix, B 35 % et C 25 %, c'est A qui
sera élu alors que B et C réunis représentent 60 % des suffrages. Les États-Unis
sont le modèle du bipartisme avec les partis républicain et démocrate. La
Grande-Bretagne a substitué l'opposition travailliste/ conservateur au bipartisme
libéral/conservateur au milieu du XXe siècle, mais la persistance d'un courant
libéral-démocrate fait que la Grande-Bretagne est un régime de « bipartisme et
demi ».

Les systèmes de multipartisme existent dans les pays qui pratiquent le scrutin
majoritaire à deux tours lequel permet de « choisir » dans un large échantillon au
premier tour avant d'« éliminer » au second tour (c'est le cas français sous la Ve
République). De même, les pays qui pratiquent la représentation proportionnelle
favorisent un multipartisme qui peut aller jusqu'à l'éparpillement (cf. la IVe
République française).

Les **fonctions des partis** politiques dans une société donnée sont complexes. Ils
sont à la fois des agents d'intégration et de stabilisation sociale et des agents de
conflit et de transformation sociale, et ceci bien au-delà de leur idéologie
proclamée. Les partis aident à rendre explicites certains intérêts ; dans ce cadre,
ils renforcent les conflits sociaux. Mais, ils obligent aussi les citoyens à s'allier
malgré d'autres clivages sociaux ; il les amènent à organiser, à hiérarchiser leurs
besoins et leurs désirs. En ce sens, ils contribuent à empêcher les manifestations
anarchiques de remise en cause du système.

Bien sûr, certains partis se situent dans le système qu'ils veulent légitimer. Les
partis qui s'annoncent comme conservateurs participent à cette conception. Ils
souhaitent avoir un rôle de stabilisation sociale. D'autres partis sont anti-système
et veulent modifier, par des réformes profondes ou par la révolution, la société
existante. Cependant ils peuvent avoir indirectement et involontairement un rôle
de légitimation-sublimation selon l'expression de Georges Lavau[1].

On est alors en face de ce que Lavau appelle la fonction tribunicienne de certains partis politiques. Ces partis proclament leur volonté de changer la société ;

---

[1] Lavau (G.), " Partis et systèmes politiques : interactions et fonctions ", *Revue canadienne de science politique*, mars 1969.

comme les tribuns de la plèbe (c'est-à-dire du peuple) de la Rome antique, ils cristallisent les mécontentements de la population ; mais finalement ils participent à l'encadrement des remises en cause sociales. La fonction tribunicienne « dévie des virtualités révolutionnaires » et elle est « dans certains situations explosives, un des moyens de vivre avec des clivages »[1]. Le rôle du Parti Communiste Français pendant les événements de Mai 1968 (et au-delà) est très éclairant à cet égard. Ce parti qui s'était présenté comme le parti révolutionnaire de la classe ouvrière a refusé de se mêler à un processus de remise en cause des institutions de la Ve République.

La troisième fonction des partis politiques, selon Lavau, en sus de la fonction de légitimation-sublimation et de la fonction tribunicienne est la fonction de relève politique. Le fait de prétendre au pouvoir, à la place de ceux qui y sont installés, conduit les partis politiques a présenter tout un programme de changement social bien au-delà de leurs caractéristiques strictement politiques. Se trouver dans l'opposition favorise ce type de comportement. Un parti conservateur ou de droite dans l'opposition voudra apparaître comme un parti de réformes face à la gauche au pouvoir.

La fonction de participation des partis politiques à la stabilité ou au changement social ne peut pas être analysé uniquement à travers le programme de ces partis. Il faut, bien sûr, tenir compte de la politique réellement mise en œuvre, mais aussi des fonctions latentes que jouent les partis du fait de leur attitude dans telle ou telle circonstance.

Mouvements sociaux

Un mouvement social est une organisation structurée qui regroupe des individus en vue de défendre certaines revendications précises. En ce sens, un mouvement social n'est pas un phénomène marginal du type de la déviance. Même s'il se manifeste par des ruptures et des contestations fondamentales, le mouvement social est organisé comme le sont les partis politiques, mais son objectif par rapport au pouvoir n'est pas nécessairement la prise de celui-ci. Un mouvement social cherchera d'abord à faire triompher ses idées par une action revendicatrice déterminée. En ce sens les mouvements sociaux sont des agents essentiels de la trame sociale et de la transformation de la société.

Pour Alain Touraine, qui a particulièrement étudié les mouvements sociaux, ceux-ci combinent trois principes : le principe d'identité, le principe de totalité et le principe d'opposition[2].

Le principe d'identité (I) définit le groupe revendicateur que le mouvement social va défendre : la classe ouvrière, les jeunes, les homosexuels,… Ce groupe peut être plus ou moins large : l'ensemble des consommateurs ou des usagers des transports ou les paysans de tel canton rural.

Le principe d'opposition (O) est tout aussi essentiel à l'existence d'un mouvement social. S'il cesse de s'opposer, le mouvement social n'a plus de raison

1 *Ibid.*
2 Touraine (A.), *La Voix et le Regard*, Seuil, 1978, pp. 104 s.

d'être, il est « récupéré ». Il faut donc définir ce à quoi et ceux à qui s'oppose un mouvement social. Pour se battre, il faut savoir contre qui et contre quoi on se bat. Mais l'adversaire peut changer en cours de lutte, soit parce que l'un est inaccessible, soit à cause de nouvelles alliances.

Le principe de totalité (T) signifie qu'un mouvement social agit au nom de valeurs considérées comme supérieures. Même pour des revendications ponctuelles, la justification de celles-ci viendra de grands principes comme l'intérêt national, la liberté, l'égalité, Dieu, l'Histoire,...

Pour Touraine, « plus ces trois dimensions des mouvements (I-O, O-T, I-T) sont intégrées les unes aux autres et plus on dit que le *niveau de projet* d'un mouvement est élevé. Quand le mouvement agit effectivement selon la formule I-O-T, sa capacité d'action historique est très forte. Si, au contraire, les trois composantes sont séparées I, O, T, elle est faible »[1]. Pour Touraine, les mouvements sociaux sont des lieux où se créent les valeurs nouvelles d'une société. « Un mouvement social n'intervient donc pas seul, n'est jamais séparé de revendications et de pressions, de crises et de ruptures qui donnent naissance à des types différents de luttes »[2].

Historiquement, les premiers mouvements sociaux ont été des mouvements de paysans révoltés (cf. la révolte des paysans allemands autour de Thomas Münzer et son communisme évangélique au début du XVIe siècle). Au XIXe et au XXe siècles, le mouvement ouvrier a été un mouvement social structurant pour la classe ouvrière et contre le capitalisme. Il a pris notamment la forme de syndicats qui sont sans doute les expressions les plus stables parmi les mouvements sociaux. Mais il a aussi débouché sur la création de partis politiques (voir ci-dessus).

Dans les sociétés développées, les mouvements sociaux se multiplient, du fait d'ailleurs de la multiplication des élites : chaque catégorie qui ne pouvait s'exprimer jusque-là revendique son « droit à la parole » et cherche à se structurer autour des thèmes qui justifient son existence. Depuis Mai 1968, en France, l'apparition des mouvements féministe, homosexuel, consumériste, écologiste, par exemple, manifeste cette prolifération. L'écologie s'est instituée à travers des partis politiques, et certaines grandes associations de consommateurs se sont constituées (moins en France que dans les pays anglo-saxons d'ailleurs).

Mais la multiplication des mouvements sociaux peut aussi conduire à les rendre éphémères : c'est ainsi que l'on voit naître à côté voire contre les syndicats et les partis politiques, des « coordinations » à l'occasion de tel conflit social. Ces coordinations veulent exprimer la totalité des revendications d'une catégorie mais qui ne survivent pas à l'irruption momentanée puis à la disparition du mouvement de la scène médiatique.

Les mouvements sociaux participent à la création d'un tissu associatif qui anime la vie sociale. Ce sont des agents socialisateurs qui permettent à leurs membres de se connaître entre eux, de se faire connaître à l'extérieur. Ce sont des groupements intermédiaires qui, dans l'anonymat des sociétés complexes

---

[1] *Ibid.*, p. 113.
[2] *Ibid.*

modernes, conduisent à participer à l'action collective, à défendre ses intérêts, à faire valoir ses idées.

Comme les partis politiques, les mouvements sociaux participent à la clarification de la conscience collective en formalisant des revendications. Mais le fait qu'ils peuvent porter sur un objet beaucoup plus restreint que les partis politiques limite cette fonction. Les mouvements sociaux les plus radicaux sont aussi souvent les plus éphémères ou les plus minoritaires en ce sens qu'ils ne parviennent pas à faire partager leurs revendications par le plus grand nombre.

Les mouvements sociaux peuvent agir par toutes sortes de moyens depuis la campagne de publicité jusqu'au terrorisme en passant par la manifestation. L'objectif de ces actions peut être simplement d'affirmer l'existence d'un mouvement ou de faire pression sur les autorités. Ce rôle de pression sociale peut conduire certains mouvements sociaux à constituer ce qu'on appelle des groupes de pression.

Les groupes de pression

L'expression « groupe de pression » correspond au mot américain « *lobby* » qui signifie agir dans les parties communes d'un édifice ou plus vulgairement « faire les couloirs », et qui s'appliquait tout spécialement aux couloirs du Congrès américain qui sont ouverts à tous. Certaines personnes cherchaient à influencer les parlementaires américains en les saisissant de tel ou tel problème dans les couloirs du Congrès et en voulant entraîner leur décision dans tel ou tel sens. Les *lobbies* se sont structurés et sont devenus de véritables entreprises qui emploient des stratégies diversifiées d'approche des hommes politiques.

Les groupes de pression représentent des groupes d'intérêt et des groupes d'idées avec une forme particulière d'action : la pression sur les autorités publiques. Jean Meynaud définit ainsi les groupes de pression : « Les groupes d'intérêts ne se transforment en organisme de pression qu'à partir du moment où les responsables utilisent l'action sur l'appareil gouvernemental pour faire triompher leurs aspirations ou revendications. Un syndicat de producteurs se comporte en groupe d'intérêt s'il institue et surveille par ses propres moyens la répartition de la clientèle entre ses membres ; il devient un groupe de pression s'il tente d'obtenir des pouvoirs publics un texte réglementant l'entrée de nouveaux éléments dans son domaine »[1].

On parlera ainsi du *lobby* des céréaliers, de celui des « maîtres de forge » (les patrons de la métallurgie), du rôle du complexe militaro-industriel, de celui de tel club politique ou de telle organisation professionnelle. Les jeunes ou les membres du troisième âge pourront agir en groupe de pression (cf. les mouvements de jeunesse tels que les organisations étudiantes ou lycéennes et les associations de retraités comme les panthères grises). Les associations familiales, les structures religieuses (l'épiscopat catholique en France), les ligues de vertu jouent aussi souvent un rôle de *lobby*.

---

[1] Meynaud (J.), *Les Groupes de pression*, Que-sais-je ?, PUF, 1965, p. 10.

Les groupes de pression cherchent d'abord à informer de la manière la plus complète et la plus circonstanciée possible les décideurs politiques. Ils veulent les persuader par l'envoi de courriers, mémoires, pétitions, documentations, du bien fondé de leur action. Ces moyens de persuasion peuvent s'accompagner de déjeuners de réflexion, de voyages d'études, de cadeaux offerts directement ou indirectement aux hommes politiques, de souscription pour leur campagne électorale ou leur parti. Ceci peut conduire à une véritable corruption de la classe politique : telles grandes entreprises de telles professions (le bâtiment ou les services des eaux, par exemple) aideront tels hommes politiques dont les ministères ou collectivités locales ont passé des marchés avec elles.

Si la persuasion ne suffit pas, on peut passer à la menace et au chantage, d'autant plus facilement d'ailleurs que le décideur aura été préalablement corrompu. Les menaces pourront être physiques, ou feront craindre la révélation de tel aspect de la vie privée de telle personnalité ou de ses finances. Il peut y avoir des menaces plus publiques de boycottage, de manifestation, de grève, de sabotage, de refus de payer l'impôt,...

Tous les groupes de pression n'agissent pas par des moyens illégaux, et la plupart sont structurés (et même enregistrés dans le cas du Congrès américain) de manière toute à fait légale. Cependant le fait qu'ils puissent utiliser certains moyens les a fait considérer par certains comme une menace pour la vie démocratique plus que comme des acteurs de celle-ci.

Au total, élites, partis, mouvements et groupes de pression conjuguent leur action sur la société et participent de manière diversifiée au maintien de la stabilité de la société comme à sa transformation

ANNEXES

Sections du Conseil National des Universités :

Groupe I :
1   Droit privé et sciences criminelles
2   Droit public
3   Histoire des institutions
4   Science politique

Groupe II :
5   Sciences économiques
6   Sciences de gestion

Groupe III :
7   Sciences du langage : linguistique et phonétique générales
8   Langues et littératures anciennes
9   Langue et littérature françaises
10   Littératures comparées
11   Langues et littératures anglaises et anglo-saxonnes
12   Langues et littératures germaniques et scandinaves
13   Langues et littératures slaves
14   Langues et littératures romanes : espagnol, italien, portugais, autres
15   Langues et littératures arabes, chinoises, japonaises, hébraïques, autres domaines linguistiques

Groupe IV :
16   Psychologie, psychologie clinique, psychologie sociales
17   Philosophie
18   Arts : plastiques, du spectacle, musique, esthétique, sciences de l'art
19   Sociologie, démographie
20   Anthropologie, ethnologie, préhistoire
21   Histoire et civilisations : histoire et archéologie des mondes anciens et des mondes médiévaux ; de l'art
22   Histoire et civilisations : histoire des mondes modernes ; histoire du monde contemporain ; de l'art ; de la musique

23   Géographie physique, humaine, économique et régionale
24   Aménagement de l'espace, urbanisme

Groupe V :
25   Mathématiques
26   Mathématiques appliquées et applications des mathématiques
27   Informatique

Groupe VI :
28   Milieux denses et matériaux
29   Constituants élémentaires
30   Milieux dilués et optique

Groupe VII :
31   Chimie théorique, physique, analytique
32   Chimie organique, minérale, industrielle
33   Chimie des matériaux

Groupe VIII :
34   Astronomie, astrophysique
35   Structure et évolution de la terre et des autres planètes
36   Terre solide : géodynamique des enveloppes supérieures, paléontologie
37   Météorologie, océanographie physique et physique de l'environnement

Groupe IX :
60   Mécanique, génie mécanique, génie civil
61   Génie informatique, automatique et traitement du signal
62   Énergétique, génie des procédés
63   Électronique, optronique et systèmes

Groupe X :
64   Biochimie et biologie moléculaire
65   Biologie cellulaire

66 Physiologie
67 Biologie des populations et écologie
68 Biologie des organismes
69 Neurosciences

Groupe XI :
39 Sciences physico-chimiques et technologies pharmaceutiques
40 Sciences du médicament
41 Sciences biologiques

Groupe XII :
70 Sciences de l'éducation
71 Sciences de l'information et de la communication
72 Épistémologie, histoire des sciences et techniques
73 Cultures et langues régionales
74 Sciences et techniques des activités physiques et sportives

Sections du Comité National de la Recherche Scientifique :

1 Mathématiques et outils de modélisation
2 Phénomènes physiques, théories et modèles
3 Des particules aux noyaux
4 Atomes et molécules ; optiques et lasers ; plasmas chauds
5 Matière condensée : organisation et dynamique
6 Matière condensée : structures et propriétés électroniques
7 Sciences et technologie de l'information (informatique, automatique, traitement du signal)
8 Électronique, semi-conducteurs, photonique, génie électrique
9 Mécanique - Génie des matériaux - Acoustique
10 Énergie, mécanique des fluides et réactifs, génie des procédés
11 Planète Terre : structure, histoire et évolution
12 Planète Terre : enveloppes superficielles
13 Physique et chimie de la terre
14 Système solaire et univers lointain
15 Systèmes moléculaires complexes
16 Molécules : synthèse et propriétés
17 Molécules : structures et interactions
18 Éléments de transition, interface et catalyse
19 Élaboration, caractérisation et modélisation du solide
20 Biomolécules : structures et mécanismes d'action
21 Biomolécules : relations structure-fonctions
22 Thérapeutique et médicaments : concepts et moyens
23 Génomes - Structures, fonctions et régulations
24 Biologie cellulaire, virus et parasites
25 Interactions cellulaires
26 Fonctions du vivant et régulation
27 Biologie végétale
28 Biologie du développement et de la reproduction
29 Fonctions mentales. Neurosciences intégratives. Comportement
30 Diversité biologique, populations, écosystèmes et évolution
31 Hommes et milieux : évolution, interactions
32 Mondes anciens et médiévaux
33 Formation du monde moderne
34 Représentations, langages - Communication
35 Pensée philosophique - Sciences des textes - Création artistique, scientifique et technique
36 Sociologie - Normes et règles
37 Économie et société
38 Unité de l'homme et diversité des cultures
39 Espaces, territoires et sociétés
40 Politique, Pouvoir, organisations

BIBLIOGRAPHIE

Cette bibliographie n'est évidemment pas exhaustive en matière de sociologie. Elle se contente de renvoyer aux principaux ouvrages de référence. Les livres pour lesquels aucune date d'édition n'est indiquée sont des manuels qui ont fait l'objet de plusieurs éditions.

ACCARDO Alain, *Initiation à la sociologie,* Le Mascaret.

ALBOUY Serge, *Éléments de sociologie et de psychologie sociale,* Privat, 1976.

BOURDIEU Pierre, *Questions de sociologie,* Minuit, 1984.

BOURDIEU Pierre, *Réponses, pour une anthropologie réflexive,* Seuil, 1992.

BOUTHOUL Gaston, *Traité de sociologie,* Payot, 1968 (2 tomes).

BUSINO Giovanni, *Critiques du savoir sociologique,* PUF, 1993.

BRACHET Philippe, *Introduction aux sciences sociales,* Publisud, 1988.

CAZENEUVE Jean, *Dix grandes notions de la sociologie,* Seuil, 1976.

CORNU Roger et LAGNEAU Janina, *Hiérarchies et Classes sociales,* texte, A. Colin, 1969.

DELRUELLE-VOSSWINKEL Nicole, *Introduction à la sociologie générale,* Éd. de l'Université de Bruxelles, 1987.

DUBOIS Michel, *Les Fondateurs de la pensée sociologique,* Ellipses, 1993.

DURAND Jean-Pierre, WEIL Robert, *Sociologie contemporaine,* Vigot, 1989.

ELLIAS Norbert, *Qu'est-ce que la sociologie ?* Éd. de l'Aube.

GIACOBBI Michèle, ROUX Jean-Pierre, *Initiation à la sociologie,* Hatier, 1990.

GRAWITZ Madeleine, *Méthodes des sciences sociales,* Dalloz.

RABIER Jean-Claude, *Initiation à la sociologie,* Érasme, 1990.

FÉRRÉOL Gilles (dir.), *Dictionnaire de sociologie,* A. Colin, 1991.

FÉRRÉOL Gilles et NORECK Jean-Pierre, *Introduction à la sociologie,* A. Colin.

FILLIOUX Jean-Claude et MAISONNEUVE Jean, *Anthologie des sciences de l'homme,* Dunod, tome 1 :1991, tome 2 :1993.

GUILLAUME Marc (dir.), *L'État des sciences sociales en France,* La Découverte, 1986.

JAVEAU Claude, *Leçons de sociologie,* Méridiens Klincksieck, 1986.

LAPASSADE Georges et LOURAU René, *Clefs pour la sociologie,* Seghers, 1971.

MENDRAS Henri, *Éléments de sociologie,* A. Colin.

ROCHER Guy, *Introduction à la sociologie générale,* Points HMH, 1968 (trois tomes : action sociale, organisation sociale, changement social).

SEGALEN Martine, *Sociologie de la famille,* A. Colin, 1981.

TOURAINE Alain, *La Voix et le Regard,* Sociologie permanente 1, Seuil, 1978.

TABLE DES MATIÈRES

Aubin Imprimeur

LIGUGÉ, POITIERS

IMPRESSION - FINITION

Achevé d'imprimer en juillet 1999
N° d'impression L 58658
Dépôt légal juillet 1999 / Imprimé en France